響きわたるシベリア杉

響きわたるシベリア杉　シリーズ2

ウラジーミル・メグレ　水木綾子訳　岩砂晶子監修

ナチュラルスピリット

RINGING CEDARS OF RUSSIA
VolumeII of The Ringing Cedars of Russia book series
by Vladimir Nikolaevich Megre

P.O.Box 44, Novosibirsk 630121, Russia
+7(913)383 05 75

Владимир Мегре
Книга 2, ТП "Звенящие кедры России"
с Мегре, В.Н., 1997
Россия, 630121, Новосибирск, а/я 44
Тел. +7(913)3830575
www.vmegre.com

ロシア、630121、ノヴォシビルスク、私書箱44
電話：+7 (913) 383 0575
Eメール：ringingcedars@megre.ru
ホームページ：www.vmegre.com

もくじ

響きわたるシベリア杉

本文中カッコ内の＊は訳者注。

宇宙人なのか、人間なのか

アナスタシアに関連したさらなる出来事を物語る前に、第一巻で述べたことがらについて、お手紙をくださったり、宗教的見解や論評をお寄せくださったすべての宗教指導者、科学者、ジャーナリスト、ならびに一般読者のみなさまに心からの感謝を申しあげたいと思う。

アナスタシアに関しては、これまでさまざまな定義づけがなされてきた。マスコミは彼女のことを、「タイガの女王」「シベリアの魔法使い」「占い師」「神の化身」「宇宙人」などと呼んでいる。

「今はアナスタシアを愛していますか?」と、あるモスクワのジャーナリストにたずねられた私も、「自分自身の感情を整理できずにいる」と答えた。すると、ウラジーミル・メグレは、その精神性の低さゆえにアナスタシアを理解することができないのだ、という噂がすぐに広まった。

しかし、相手が何者なのかわからずして、愛することなどできるだろうか？　そもそも、これまでにアナスタシアにたいしてなされてきた定義づけは、どれひとつとして彼女にあてはまらないのだ。彼女の「私は人間よ、女性よ」という主張にもとづいて、私はこれまで、それが真実であると自分自身に納得させようとしてきたし、彼女の並外れた能力についても説明できる道を見出そうと努めてきた。しかも最初のうちは、この試みはすべてうまくいっていた。

アナスタシアとは何者なのか？

シベリアのタイガの奥深くに生まれ育ち、今もその地に、隠遁者《いんとんしゃ》のように暮らす若い女性。幼くして両親を亡くし、祖父と曾祖父に育てられたが、彼らもまた、隠遁者のような生活を送っている。

野生動物たちが彼女にたいして示す忠誠は特殊なものと言えるだろうか？　いや、これは決して珍しいものではない。農場ではさまざまな種類の動物たちが平和に暮らし、尊敬の念をもって主人に接している。

それよりもずっと難しかったのは、はるか遠方を見とおし、さまざまなことがらについて――たとえそれが千年前のことであっても――詳細に知り、現代人の生活についても自在に整理分析する、彼女の能力のメカニズムを解明することだった。彼女が遠隔地にいる人々を癒《いや》したり、悠久の昔を見とおしたり、はるかな未来を見つめたりしたとき、彼女の光線はいったいどのように機能していたのか？

モスクワ航空大学の哲学の教授であるK・I・シリンは、アナスタシアの発言と行動を分析した論文の中で、次のように述べている。

アナスタシアの創造的潜在能力は普遍的なものであり、神や自然から彼女だけに与えられた個人的な能力ではない。人間は誰もがそれぞれ宇宙につながっている。

差し迫った大災害への解決策は、文化や主義信条の調和的な統合の中に見出せる。調和的で純真な幼年期の文化が発展すると、「女性的な」性質をもつ文化が誕生する。こうした性質の文化は、仏教において、最も完璧なかたちで鮮やかに花開いているが、われわれのアナスタシアにおいても同様である。こうした理由から、私は次のような等式を立ててみた。

アナスタシア＝タラ（＊多羅《たら》菩薩《ぼさつ》。中年女人の姿で表される菩薩）＝釈迦《しゃか》＝マイトレーヤ（＊弥勒《みろく》菩薩）

アナスタシアは神に似た完全な人間である。

これが真実かどうかを判断するのは私ではない。しかしながら、もしそうならば、なぜアナスタシアは、神に似た人々がすべてそうしてきたように、その教えを書き記すことをせず、もの心ついてからの二十年を、ずっとダーチュニク（＊手作りの家と菜園のある郊外の別荘ダーチャの所有者。ロシア人の約六割と言われる）のために費やしてきたのか？　私にはそれが理解できないのだ。

ただ、科学者たちの見解について読み進むにつれ、私は彼女の頭が狂っているわけではないという結論に達することができた。なぜなら、彼らはアナスタシアが語ったことについて、少なくとも仮説を立て、それぞれの分野で、実験を行なってきているからだ。

たとえば私が、「アナスタシア、きみはどうやって千年も前のさまざまな状況を見とおして、過去に生きた偉大な人物たちの思いまで知ることができるんだい？」とたずねたときに、彼女が答えた内容に関して。そのとき彼女はこう答えた。「最初の意識と最初の言葉は創造主のもの。その意識は今もずっと生きつづけていて、目には見えないかたちで私たちの周りをとりまき、宇宙空間に満ち満ちて、最も大切な人間のために創られた、形ある生きとし生ける創造物の内に反映されている。

人間は創造主の子ども。すべての親がそうであるように、創造主はご自身がもつものより多くを子に与えたいと願われた。人間にすべてを与えられたうえに、さらにもうひとつ、選択する自由を与えられた。人間は自身の意識の力で世界を創り、完成させることができる。

人間から生み出されるいかなる意識も、消滅して無になることは決してない。もしそれが明るいものであれば、それは光の次元空間を満たし、光の勢力の側に立つ。もしそれが暗いものであれば、逆の側に立つ。今の時代に生きる誰もが、これまで人々によって、あるいは創造主によって生み出された、いかなる意識でも活用することができる」

「そういうことなら、どうしてみんなそれを利用しないんだい？」

「人によって程度の差はあるけれど、みんな利用はしている。ただ、利用するには、それについて意識するという行為が必要になるから、日々の雑事や慌ただしさのせいで、それができなくなっている人もいる」

「やるべきことはただひとつ、そのことについて意識すること、そうすればすべてがうまくいく、というわけか。きみは創造主の意識まで知ることができるのかい？」

「創造主の意識を知るためには、創造主のもつ意図の純粋性と、その意識スピードを獲得する必要があり、賢者たちの意識を知るためには、彼らと同じレベルの意図の純粋性と意識スピードを身につける必要がある。

　ある人の意図が、光の勢力——光り輝く意識が存在している次元空間——とコミュニケーションをとるために必要とされる純粋性を十分にもっていなかった場合、彼はそれとは逆の闇の勢力の次元空間から自分の考えというものを取り出してきて、自分自身を苦しめ、結果的には他の人々をも苦しめるようになる」

　彼女のこういった発言に関して、間接的か直接的かは定かではないが、ロシア自然科学アカデミー・理論および応用物理学国際学会の理事を務めるA・E・アキモフは、ミラクルズ・アンド・アドベンチャーズ誌に掲載された自身の論文、「物理学は超知性を認識する」の中で、次のように述べている。

自然を知るためのアプローチとして、これまで二つの方法がとられてきている。ひとつは西洋科学に代表されるもの、すなわち西洋世界独自の方法論である実証、実験などによって獲得する知識である。

もうひとつは、東洋に生まれたもの、すなわち、瞑想《めいそう》という秘儀により、外から受け取られる知識である。秘儀による知識は人間が自ら獲得するものではなく、与えられるものだ。

歴史のある段階で、この秘儀による道が失われ、非常に複雑で緩慢な別の道が現われた。千年前からわれわれはこの道をたどってきて、今やっと、三千年前の東洋世界ではすでに知られていた知識に到達したのだ。

私は、全宇宙の場を満たしている物質は、相互に連結したひとつの構造体だと説いた人たちの主張は正しかったと、直観的に確信している。スタニスワフ・レム（＊一九二一～二〇〇六。ポーランドのSF作家、思想家。代表作は映画化もされた『ソラリスの陽のもとに』）は著書『技術大全』の中の「スーパーコンピュータとしての宇宙」と題する章で、コンピュータのような、巨大な宇宙脳の存在を主張している。観測可能な宇宙（半径約百五十億光年とされる）の大きさのコンピュータが、およそ十立法メートルから三十三立法メートルのエレメントで埋め尽くされている状況を想像してみてほしい。

全宇宙を満たしているその巨大脳は、当然ながら、われわれが思い描くことも夢見ることもできない可能性を内蔵している。
だが、この脳が、実際にはコンピュータの原理ではなく、トーション・フィールド（＊フランスの数学者エリ・カルタン［一八六九〜一九五一］が一九一三年に発見した、回転によって生じるねじれ場）の原理に従って機能していることを念頭に置くと、シェリング（＊一七七五〜一八五四。ドイツの哲学者）が唱えた「絶対者の化身」や、古代ベーダ（＊ベーダ人は古代インドに定住した民族で、ベーダ語はサンスクリット語の前身とされる）の文献に出てくるシューニャター（＊空性。実体的本性をもたない絶対的存在）は、実際にはひとつのコンピュータの体を成しているということが明確になってくる。世界にはそれ以外のものは何も存在しない。他のすべてのものは、絶対者の個々の側面が、それぞれに現われたものなのである。

ここにアナスタシアの遠距離光線について学者たちが述べた見解をあげてみたい。ロシア医学アカデミーの会員、ウライル・カナチェエフは、ミラクルズ・アンド・アドベンチャーズ誌の一九九六年五月三日号に掲載された、「生きている光線と生きているフィールド」と題する論文の中で、次のように述べている。

ヴェルナドスキー（＊一八六三〜一九四五。旧ソ連の鉱物学者、地球化学者）による、観念と知力がどのようにして地球という惑星を新たな進化の段階に移動させるのかという問いかけは、おそらく正しい問いかけだったのだ。では、それは実際どのようにしてなされるのか？　労働によって、あるいは爆発によって、あるいはテクノロジーが生み出す働きによって、などという単純なことではとうてい説明がつかない。

人間は多くの電子機器のディスプレイをリモート・コントロールできるが、さらに遠隔地からでも機器の目盛りを押し下げることができそうだ。

われわれは今、ノヴォシビルスクでノリリスク（*ロシア北部の都市）、ディクソン（*ロシア最北の港町）、シンフェロポリ（*ウクライナのクリミア半島にある都市）との遠隔コミュニケーションの実験を行なっている。実験はチュメニ（*シベリアで最初に建設された都市。ロシアの西部に位置する）およびフロリダにあるアメリカ・センターとの間でも行なっており、これらの実験では、対人間、対機器、対オペレータのコミュニケーションが安定したかたちで正確に成立している。

今われわれは未知の現象と遭遇《そうぐう》しているのだ。生命体同士の途方もない距離を超えたインタラクション、相互作用である。

残念ながら、科学者たちの論文は、私には理解できない多くの専門用語や、他の科学者の著作の引用などを含み、それを通読すること自体が困難を伴う作業であり、ましてや内容を正確に把握《はあく》するのはさらに難しい。

だが、それでも、私はある事実をつきとめた。遠方にいる人や物とコンタクトしたり、機器を遠方から操作したりする人間の能力については、科学がすでにそれに気づいているということだ。科学は宇宙規模のデータベースの存在にも気づいている。アナスタシアはおそらくそれを用いているのだ。彼女はそれを光の勢力の次元空間、つまり、人間がこれまで生み出してきたすべての意識が存在している次元空間と名づけている。

近代科学はこれについても言及し、スーパーコンピュータと呼んでいる。

これまでものを書いた経験がなく、そのための教育も受けたことのない私が、人々の心を動かす本を書くことができたのはなぜなのか。私はその理由について、この宇宙規模のデータベースという視点から解き明かさねばならなかった。

タイガでアナスタシアは私に言った。「私はあなたを作家にする。あなたは本を書き、多くの人がそれを読み、その本は読む人に多くの恩恵をもたらす」と。

そして本は書かれた。すべて彼女によって書かれたとみるべきなのだろう。彼女がどのようにして他の人々がもつ創造力に影響を及ぼすのか見極めなければならないのだが、今のところ、誰にもそれはできていない。

もちろん、私自身が少しばかりの才能をもちあわせていて、アナスタシアからもたらされた興味深い情報を、そのまま記述したのだろうと推測することは簡単だ。そうすれば、一見、すべてつじつまがあい、説明がつく。

その場合、科学文献や宗教書を読みあさったり専門家の意見を聞くことに、これ以上時間を費やす必要はなくなる。だが、アナスタシアは、これまで私を助けてくれた人々も誰ひとりとして解明できていない、新たな現象を呼び起こしたのだ。

あなたは『アナスタシア』第一巻に書かれている次の言葉を憶えておられるだろうか。「私について、画家は絵を描き、詩人は詩を書き、映画が作られる。あなたはそれらのすべてを見て私を思い出す」二年前に彼女が語った言葉だ。

「彼女は未来を予言することができるのですか？」と、アナスタシアの祖父にたずねたとき、彼は、「ウラジーミル、アナスタシアは未来を予言しているのではない。未来を型どって、それを現実化していくのだよ」と答えた。

言葉はしょせん言葉にすぎない。われわれはいろいろなことを口にする。私はアナスタシアのこの言葉は単なる比喩《ひゆ》的なものだろうと考えて、特別気にもとめていなかった。なぜなら私は、アナスタシアの語ったすべてのことが、まったくそのとおりに現実化していくなどとは思ってもいなかったからだ。だが、信じがたいことが起こっているのだ。

アナスタシアの語ったことは着実に現実のものとなってきている。

まず、読者から詩があふれるように送られてきた。私は最初のロシア語版にそのいくつかを掲載した。それから、人々はあちこちの都市に「アナスタシアの家」を開設した。最初に建てられたのは、ゲレンジーク（*ロシア南部、クラスノダール地方にあるリゾート都市。黒海の北東部のゲレンジーク湾奥にある）で、そこには、モスクワの画家アレクサンドラ・サエンコが、アナスタシアと自然に捧げる、と題して描いた絵が展示されていた。

その家に入り、大きな絵がたくさん展示されている壁に囲まれた瞬間、私は、周りの空間が変化したような、不思議な感覚を覚えた。

多くの絵の中から、アナスタシアがあのやさしい瞳で私をじっと見つめていた。そしてなんと！　いくつかの絵には、まだ出版されていない第二巻の内容が……。アナスタシアの横にときどき現われるあの光り輝く球体が描かれていたのだ。

あとで知ったのだが、この画家は絵筆よりも指先で描いているそうだ。これらの絵の大半はすでに売約済みだったが、絵を見るために絶え間なく人々が訪れるので、そのまま展示されていた。画家は一枚の絵を私にプレゼントしてくれたが、それはアナスタシアの両親を描いた絵だった。私はアナスタシアの母親の顔からしばらく目をそらすことができなかった。

アナスタシアについての映画を作りたいというオファーが、さまざまなスタジオから寄せられるようになった。私はすでに、これも当然のなりゆきだと思いはじめていた。

描かれた絵や、書かれた詩のページに手を触れ、歌を聴き、映画の場面を見ながら、私は起こっていることの中に、何らかの意味をつかもうとした。

アナスタシア現象を研究しているモスクワ・リサーチ・センターは次のように結論づけた。

宗教的教えや、哲学的、科学的研究を通して世に知られている最も偉大な霊的指導者たちの中にも、これまでアナスタシアほどの速度で人間の潜在能力に影響を与えた人物はいない。彼らの教えはその誕生のときから数百年あるいは数千年のときを経て、現実世界に具体的な形で現われ出た。

アナスタシアは、わずか数日か数カ月の間に、なんらかの未知の方法で、倫理的教育や宗教的説話などを飛び越え、人々の感情にじかに影響を与えて感情の爆発を呼び起こし、彼女と精神的につながったさまざまな人々が、創造への高まりをかきたてられて、真の創造を成し遂げた。光ある善なるものに向かう衝動によって生み出された、彼らの作品の中に、それを感じることができる。

はるかシベリアのタイガの奥深くに、たったひとりで暮らすこの世捨て人が、われわれの実生活の空間にも同時にリアルに存在しているのは、いったいどういうことなのか。彼女はどのようにして、ほかの人々の手をとおして、彼女自身の創造を現実化させていくのか。彼らの作品はすべて、光について、ロシアについて、自然について、愛について謳《うた》ったものばかりなのだ。

「彼女は偉大な愛の詩で世界を埋めつくす。詩や歌が、春の雨のように降りそそぎ、地上に積もったごみを洗い流すだろう」と、アナスタシアの祖父は言っていた。

「どんな方法で？」と私はたずねてみた。

「彼女は、自身の熱い望みのエネルギーを用いて、夢の力でインスピレーションと光を放射する」

「彼女の夢に隠された力とは何なのですか？」

「創造者としての人間の力」

「人は自ら創造したものにたいして、報酬や名声やお金や地位といった見返りを求めるものです。なぜ彼女はすべてをあげてしまうのですか？」

「彼女は自身の内ですでに満ち足りている。彼女自身の充足と、ひとりの人への心からの愛、それが彼女にとっての最高の報酬なのだよ」

アナスタシアの祖父が語ったこれらの内容について、私はまだはっきりとは理解できずにいる。アナスタシアとは何者なのかについて熟考し、彼女にたいする態度をはっきりと決断するために、私はアナスタシアという存在に関する人々のさまざまな意見に耳を傾け、スピリチュアルなことがらについての書物を読むという作業を続けた。

一年半ぐらいの間に、私はそれまでの人生で読んできたものを上まわる分量の書物を読破した。しかし、それが何をもたらしてくれただろうか？　私が自分なりに得た唯一の明白な結論は、「歴史的信憑性《しんぴょうせい》や、精神性、真実性を自負する多くの学術書には、誤った情報も含まれている」ということだった。

私がこの結論に達したのは、グリゴリー・ラスプーチン（＊一八七二〜一九一六。ロシアの修道僧。皇帝一家の信頼を得て、宮廷内に絶大な権力をふるったとされ、怪僧などとも呼ばれている）が歴史的に置かれている状況について考えさせられたからである。『アナスタシア』第一巻で私はヴァレンチン・ピクル（＊一九二八～一九九〇。七〇年代から八〇年代にかけて活躍したソ連時代の詩人、作家）の歴史小説『ラスト・フロンティア』からの引用を載せた。

この小説には、読み書きのできない農民であったグリゴリー・ラスプーチンが、シベリア杉の生い茂る辺鄙《へんぴ》なシベリアの村を出て、一九〇七年にロシア帝国の首都にやってきたこと、その予知能力によって皇帝一家を驚愕《きょうがく》させ、一家に接近し、多くの上流階級の女性たちと関係をもったことなども描かれている。

人々は彼を殺そうとして、あらかじめ彼のグラスに青酸カリを注いでおいたが、彼はそれを飲んだにもかかわらず、テーブルから立ちあがって屋敷の中庭に出て行き、人々を仰天させた。そこで倒れたところを、ユスポフ公（＊フェリックス・フェリクソヴィッチ・ユスポフ公。ロシア帝国の貴族でニコライ二世の姪を妻とする）が至近距離でピストルを撃った。

銃弾を撃ち込まれて蜂の巣状になった体で、なおもラスプーチンは生きていた。人々は傷だらけの彼の体を生きたまま橋の上から川に投げ落とし、そのあと水から引きあげて、火で燃やした。その驚異的なスタミナで人々を驚かせたミステリアスで謎《なぞ》だらけのグリゴリー・ラスプーチンは、杉の群生地に生まれ育った。

当時のジャーナリストが彼のもつスタミナについて次のように書いている。

「五十歳という年齢で、彼は飲めや歌えやの酒宴を正午に始め、午前四時まで飲みつづける。どんちゃん騒ぎと酩酊《めいてい》状態から抜けだして、まっすぐ教会の早朝祈禱《きとう》会に行き、そこで朝の八時まで立ったまま祈る。それから帰宅し、お茶のあと、何ごともなかったかのように、午後の二時まで来客の応対に忙しい時間を過ごす。それから、ご婦人方数人を選び、彼女らを従えて温泉浴場に出かけていき、そのあと、郊外のレストランへと車を走らせる。そこで彼は前の晩と同じことを繰り返すのだ。ふつうの人間はこのような日課をこなせるわけがない」

このグリゴリー・ラスプーチンにたいして私が抱いていた印象は、他の多くの人たちと同様に、こういった描写そのままの、自堕落《じだらく》でふしだらな人間というイメージだった。ところが、ふとした縁で私は彼に関して深く考えさせられる別の情報に遭遇したのだ。

ローマ法王ヨハネ・パウロ二世がラスプーチンについて次のように書いている。

「失われていた聖僧の遺体が今、無傷のまま川から現われ出る。隠れていた彼の弟子たちは、祈りつつノアの箱舟に入るだろう」

これはいったい何を意味しているのか？　一方では放蕩者《ほうとうもの》、他方では聖僧と呼ばれている。どこに真実があり、どこに偽りがあるのか？

私はまた、ラスプーチンが聖地巡礼への旅の途中に綴《つづ》ったメモ書きのような文書を発見した（ロバチェフスキーという名のソ連からの亡命者がパリに持ち込んだものだった）。それは次のようなものだ。

海はただそこにあるだけでいともたやすくあなたをやすらかにする。朝、目覚めると、波は「語りかけ」、飛び跳ね、あなたを楽しませる。太陽はしずしずとのぼり、海のおもてに輝く。そのとき人の魂は人間世界のすべてを忘れ、ただ太陽のきらめきを見つめる。喜びが火のごとく湧《わ》きあがり、魂はこの至高の美、生命の書と生命の叡智《えいち》を感知する。

海は人を虚栄の夢から目覚めさせ、いともたやすく多くの意識を誕生させる。

海は広い。だが人間の心はさらに広大無辺だ。人間の叡智に限りはなく、すべての哲人の哲学をもってしてもそれを満たすことはできない。太陽が海の向こうに沈みゆき、その光線がきらめきを放つとき、もうひとつの至高の美が立ち現われる。

この光線のきらめきを享受し味わう力をもつのは誰か？　このきらめきは人の魂を温め、抱擁し、健《すこ》やかさをもって包み励ます。しずしずと太陽が山の背に沈むとき、人の魂はこの奇跡の光線を惜しみ、しばし悲嘆にくれる。光は去っていく。

ああ、なんという静寂！　一羽の鳥の声さえ聞こえない。人はもの思いから覚め、甲板を行きつ戻りつ、知らず知らず、幼少の頃からこれまでの虚栄にみちた日々を思い起こす。今ここにある静寂と虚栄の世界とをくらべつつ、静かに自らに語りかける。敵対する者たちにうんざりし、その退屈を共にまぎらす誰かがそばにいてくれたらと願いながら。

シベリアの人よ、グリゴリー・ラスプーチンという名のロシア人よ、いったいあなたは何者なのか？　あなたについて書かれた真実と偽り、それをどうすれば見分けられるのか？　あなたの本質とあなたが意図したものを、何をもって知ることができるのか？　数々の偉大な著作のうちのどれが、虚偽と真実とを峻別《しゅんべつ》する助けとなるのか？

精神性と真実を示すものはどこにあり、すべてを知っているとする偽りを見極めるものはどこにあるのか？　おそらく私は自分自身の心に問いかけながらそれを追求すべきなのだろう。今まで詩というものを書いたことのない私だが、生まれて初めての詩を、あなた、グリゴリー・ラスプーチンに捧げたい。

人々は『アナスタシア』を読み、そこから生まれ出てきた詩は誠実に満ちている。私も彼らのように詩を書いてみた。あなたを想い、心に浮かんできたことを。これが詩になっていなければ、なにとぞお許しのほど。

グリゴリー・ラスプーチンに捧ぐ

読み書きがわずかしかできない？　そのとおり
杉の森から出てきた
だから？

そう、はだしで
シベリアはブーツがいくつあってもだめになる

私は出発した
皇帝陛下にお会いするため
そのお命を守り　お助けするため
母なるロシアに向かい　旅に出た
リンギング・シダーのいのちを
その一滴を　彼女に味わってもらうため

どうした？　騎兵隊の男たちよ！
ふしだらで恐れを知らぬ　好色の勇猛な男たちよ
見よ、ただあるがままに見よ
あらゆる縄目から解き放たれて見よ
賢い男たちよ！

パリ仕込みのドレスで着飾ったサンクトペテルブルグ

心臓までも締めつける　コルセットに気をつけよ！
シベリア人が突然姿を現わしたとき
貴婦人たちの凝視は　おののきふるえた

人々の罪のゆるしを乞《こ》うために
朝の祈禱会に出かけたとき
彼は聞いた
母なるロシアがかすかにささやくのを
「出て行きなさい」
懇願するような　ひとりぼっちの彼女の声を

泥酔し　けだもののようにうなる
獣の季節は　肉なるものをむさぼり飲む
おまえは燃える魂そのものとなって
もちこたえた
その火を消すことは誰にもできない

だから　もう行きなさい

おまえにはできない
このけだものを長い間抑え込むことはできない
できるのは
ただ束の間を救うことだけ
私はロシア！　おまえを去らして悔いるだろうか
おまえの歌を再び聞くことはない

杉の森に帰りなさい
私は勢いを取り戻す
おまえはすべてを願えばいい
望むところすべてを

「私が今
温泉浴場であなたと一緒だったら
役に立たなくなったあなたの背中を

シベリア杉の葉の束で打つでしょう
ロシアよ！
私はずっと
あなたと共にいる」

時は狂犬病にかかった犬のようにゴロゴロとうなり
あの日　弾丸はグリゴリーの胸にとどまった
闇は怒りにふるえて歯ぎしりをした
「腹ばいになれ　シベリア人よ　這《は》って出て行け！」

一瞬にも満たない間
おまえは私をうろたえさせる
だがそのあと　おまえを待つのは
耐え難い苦しみ
この地上で誰ひとり
受けたことのない刑罰

今おまえは英雄
だがおまえは色魔と呼ばれるようになる
おまえの顔を写したラベルが
毒の小瓶《こびん》に貼られているが
おまえが救ったおまえの末裔《まつえい》は
おまえの魂の上につばを吐くだろう

這って出て行け！
今　私のうちにこそ力はみなぎっている
全能の力だ
飛んで行け
飛べるものなら天空まで
だが　おまえに残されているのは
またたきの一瞬だ
なぜそれがわからない？
さあ私にその一瞬を返せ

「さあ、マデイラ酒をもって
温泉浴場に行こう！
そこでおまえは見るだろう
シベリア人よ　とおまえは言う
私は農民だ
なにゆえ　私を悩ますのか
この騒がしいおろか者よ」

彼は撃たれ
水中に投げ込まれた
火で焼かれ
町はずれで引き裂かれ
腐食していった
彼を焼いた灰は春の風にのって
今もロシアの空を飛ぶ

「おい　おまえ！」闇は耳障りな声で言う

「おまえの墓はどこだい？　おまえの目は？」

おまえはもう
過ぎ去った日々を取り戻せない
おまえの末裔は
作りあげられたおまえのイメージを
ただ見つめるだけだ

彼らに見せよ　私がおまえに力を与える
彼らに見せよ　未払いの勘定書きを
彼らがおまえに負う負債を
おまえはただ
涙を流していたいのか？

グリゴリーは
鉛の弾丸を吐き捨てて言った
「おお　悪しき者　サタン！　はじめに勘定書き　次に涙か」

人はこれをどう解釈するだろう
水しぶきをあげるときがきたのだろうか
温泉浴場のようなこの世界で

グリゴリー・ラスプーチンは杉の森からやってきて、革命直前のロシアでの生活に身を投じた。彼は革命の嵐を回避してロシアを守ろうと努力したが、非業《ひごう》の死を遂げた。アナスタシアも同じように杉の森に住み、人々のために善なることをなし、これから起こりうる何かを回避しようとしている。だが、われわれの社会はいったいどんな運命を彼女に用意しているのだろう。

私はアナスタシアと共にタイガで過ごした時間をたびたび回想したが、そのたびにふつうとは異なる体験をした。個々のエピソードを思い起こすたびに、私の記憶の中にそのときの状況が細部に至るまで再現され、アナスタシアの表情や、声のイントネーション、さらにはそのしぐさまでが、生き生きとよみがえってくるのだった。

金の成る木

アナスタシアと初めて出会ったあの数日間、私は彼女をユニークな世界観をもった隠遁者とみていた。だが今は、彼女について語られたことすべてを読んだり聞いたり、われわれの生活に徐々に入り込んでくる彼女の影響を見たりするうちに、私にとって彼女は、もはや尋常ならざる存在になってしまった。私の頭の中ではすべてが混乱している。

奔流のようにおしよせる情報や推論を意識的に退《しりぞ》けて、私は単純に、彼女から受けたタイガでの印象に立ち返り、「なぜ、アナスタシアをタイガから連れてこなかったのか？」という、私が幾度となくたずねられた質問に答えようと努めている。

私はなんとしてもアナスタシアをタイガから連れ帰りたかったが、これは力ずくでできることではないと悟った。彼女がわれわれの社会に住むことの意味と有益性とを、彼女に証明する必要があった。

私はアナスタシアの能力のうちどれが、彼女自身と人々と私の会社に益をもたらすかについてじっくり考えるうちに、目の前の美女アナスタシアが、ほんものの金の成る木であることに唐突に気づいた。

彼女は考えうるあらゆる病気を簡単に治せる能力をもっている。しかもいかなる診断もくだすことなく、ただ単純に、病が住みついていた器官から、瞬時にその病を追い出してしまうのだ。何らかの未知の方法によって、体内に蓄積されていた汚れを、そこに何らかの病があればそれも含めて取り除き、人間の肉身を清める。その人の体に触れさえしないのだ。私自身それを体験したことがある。

それを行なうときの彼女の集中ぶりは完璧だ。あのやさしい、灰色がかった青い大きな瞳で、まばたきひとつせずにじっと対象を見つめる。その凝視の先にある体は温まってきて、両足からかなりの汗が流れ出る。こうしてあらゆる毒素が汗とともに体外に排出されるのだ。

人々は薬や手術に多額のお金を払い、ある医者のところで治らなければ別の医者のところに行く。たったひとつの病気を治すために、超能力者やバイオエネルギー・セラピストのところに通ったりもして、ときには何週間も何カ月も何年をも費やす。ところが、アナスタシアの治療はほんの数分で終わるのだ。

私は計算した。彼女がひとりの患者にたいして十五分かけたとしても、ひとりにつき二十五万ルーブル（ほかのヒーラーたちはもっと高くとるが）とすれば、一時間で百万ルーブルになる。だが、実際はこんなものではないだろう。われわれの世界では、ひとつの手術に三千万ルーブルかかった例もある。

我ながら素晴らしいビジネス・プランを考えついたものだと思って、私はアナスタシアに少し細かい話をしてみようと決めた。「きみは、どんな病気でも治すことができるんだね？」

「そう」とアナスタシアは答えた。「そう思う」

「ひとりの人にどのくらいの時間が必要？」

「かなり時間がかかることもある」

「かなりってどのくらい？」

「十分以上かかったことがあった」

「十分なんて問題じゃないよ。みんな病気を治すのに何年もかかっているんだ」

「十分はとても長い。その間集中しないといけないし、頭の中のすべての思考をストップさせないといけないから」

「大丈夫、思考は待ってくれるよ。きみはすでに多くを知っているのだし。アナスタシア、じつは、あることを思いついたんだ」

「何を？」

「きみを一緒に連れていこうと思う。大都市に立派なオフィスを借りて、きみが癒しを行なうことを宣伝するんだ。そうすればきみは多くの人にたくさんの良いことをしてあげられるし、その結果としてわれわれはかなりの収入を得ることになる」

「でも、私はもうすでに人々をときどき癒している。ダーチュニクが周りの植物たちへの理解を深められるよう、さまざまな状況を型どって彼らのお手伝いをするときに、私の光線は彼らの病気も追い出してしまう。全部は追い出さないように気をつけてはいるけれど」

「そうは言っても、きみがそうしてくれていることを、誰も知らないんだよ。誰もきみにお金を払わず、ありがとうのひと言も言わない。きみはその働きにたいして何ひとつもらっていないんだ」

「もらっているわ」

「いったい何を？」

「喜び」

「それならよかった。きみは喜びをもらって幸せを感じるし、会社には多くのお金が入る」

「でも、癒しを受けるためのお金をもっていない人はどうする？」

「ほらきた、やっぱりだ。すぐそういう細かいことにこだわる。そんなことを考えるのはきみの仕事じゃない。きみには数人の秘書と事務員がひとりつくんだよ。

きみは癒すことと、自分の技術を磨くことと、経験を分かち合うためのセミナーに出ることだけを考えていればいい。ところできみは、きみのこの方法、この光線がどのように機能するのか、あるいはどういったメカニズムが作用しているのか、自分でわかっているのかい？」

「もちろんわかっている。このメソッドはあなたがたの世界でもよく知られているもの。医師たちや専門職の科学者たちはそれについて知っている。あるいは少なくともその有益な効果について感じ取っている。

病院で、医師たちは患者の気分を改善しようとして、いろいろと励ましの言葉をかける。患者が落ち込んでいると病気はなかなか改善せず、薬も効かないけれど、愛をもって治療すると早く快方に向かうということに、彼らはずっと以前から気づいていた」

「それならなぜ、誰も考えないんだい？　こうした事実を分析し解明して、その癒しのメソッドを、きみがもっているような高いレベルのものになるまで開発すればいいのに」

「多くの科学者がそのための努力をしてきている。それと、あなたがたがヒーラーと呼ぶ人たちがこの方法を用いていて、ある程度の効果を得ている。

イエス・キリストも聖人たちも癒しを行なうときにはこのメソッドを用いた。聖書には愛について多くが語られている。なぜなら、愛は人間にたいしてとても有益な影響をもたらす本質だから。愛はあらゆるものの中で最も強力なもの」

「きみがいとも簡単に多くの癒しを行なうのに、なぜ、医者やヒーラーはほんの少しの効果しか得られないんだい？」

「彼らはあなたがたの世界に住んでいるから、ほかの皆と同様に、有害な感情を取り込んでしまう」

「有害な感情っていったい何？　彼らはそれをどう扱えばいい？」

「有害な感情というのはね、ウラジーミル、恨み、憎しみ、いらだち、嫉妬《しっと》、羨望《せんぼう》……そのほかもろもろ。こういう感情は人間を弱くする」

「アナスタシア、きみはめったに怒らないっていうことかい？」

「私は決して怒らない」

「わかった、アナスタシア。何がその効果をもたらすかは重要じゃない。重要なのは、そこからもたらされる最終的な結果と恩恵だね。さあ、私と一緒に来て、人々を癒すことに賛成してくれるかい？」

「ウラジーミル、私の家、私の場所はここよ。ここにいるからこそ、私は私の運命を成就できる。ふるさとほど人を強くする場所はない。そこは両親によって生み出された愛の次元空間だから。私は、私の光線で、遠くからでも同じように身体的な苦痛を取り除くことができる」

「よし、わかった。行きたくないのなら、遠くから癒しをしてあげて。癒しを受けたいと思っている人がどこに来ればいいか、その場所についてはきみと私とで話し合って決めればいい。彼らはお金を払い、ある特定の時間にきみがその人たちに癒しをほどこす。前もってスケジュールを立てておいて。どうかな？　この案」

「ウラジーミル、あなたがお金をたくさんほしいと思っているのはよくわかるし、実際、そうなる。私があなたを助ける。ただ、そのためにそんなことをする必要はないわ。

あなたがたの世界ではヒーリングにお金をとる。それ以外に方法がないから。でも、私はお金をとらずにやっていきたい。それと、私はただ次から次へと機械的に癒しを行なうことはできない。なぜなら、どの場合に癒しが恩恵をもたらし、どの場合に害をもたらすのか、まだよくわかっていないから。ここを理解したいと思っている。そこがわかりさえすれば、すぐにでも……」

「何を言っているんだい？　まったくナンセンスだ。癒しが害をもたらすなんてありえない。それとも、害って、きみにとっての害なのかい？」

「肉身の病を癒すことが、その癒された本人にとって害となることがよくあるの」

「アナスタシア、きみの善悪観は、きみの哲学的考察によって逆になってしまっているよ。社会はいつも医者を――別に彼らが無償で働かなくても――尊んできた。聖書も癒しを非難したりしていない。だから、きみの疑念は無視したらいいよ。人を癒すことはいつだっていいことなんだ」

「わかって、ウラジーミル、私は見たの。癒しがもたらす害について、具体的な例を祖父が教えてくれた。深い考えもなしに、患者自身をそこに参加させることもなく癒しを行なった場合、そういうことが起こる」

「きみはまったくもってユニークな哲学の持ち主だ。私はきみに非常に収益性の高い共同ビジネスを提案しているんだよ。きみの言うその具体例とやらが、これとなんの関わりがあるんだい？」

だが、このあとアナスタシアが語ってくれた話を聞いて、私は、癒しにおいては、対象となる人々を個別に扱う必要があるということについて、考えざるをえなくなった。

癒しが悲しみをもたらすとき

「ある日、私の光線がひとり暮らしの年配の女性をとらえた。彼女は自分の菜園で植物を育てていた。ほっそりしていて、生き生きといつも楽しげな人だった。私は見た瞬間に彼女に惹《ひ》きつけられた。女性の菜園はとても小さかったけれど、多種多様な植物が植えられていて、よく育っていた。彼女がすべての作業を愛をもって行なっていたから。

そのあと私は、彼女が収穫したものを全部かごに入れて、人通りの多いにぎやかな場所まで運び、そこで売っているのを見た。女性は自分で育てて収穫した最初の果実を――あなたがたの世界ではそれが一番高く売れるから――自分で食べようとせず、売るのに一生懸命だった。息子を助けるためにお金を必要としていたから。

彼女は少し歳がいってから息子を産み、そのあと夫はいなくなって母子家庭となっていた。親戚とも交流はなかった。小さな息子は子どもの頃から絵を描くのが好きで、彼女は息子が将来画家になることを夢見ていた。彼は絵を勉強するために、どこか遠くの学校を何度か受験して、ついに合格した。勉強をはじめた彼は、年に数回、年老いた母を訪ねていた。

彼女にとっては、この息子の帰省が最大の喜びだった。そのときのためにお金を貯《た》めて、毎回食糧を準備した。息子のために菜園で育てた野菜を、瓶詰めにして全部息子にあげていた。

息子を心から愛していて、その夢は息子が素晴らしい画家になることだった。彼女はこの夢に向かって生きていて、健康そうで快活だったので、私はしばらくの間彼女を見ていなかった。そのあと、再び彼女を見たときには、彼女は重い病気にかかっていた。

菜園で植物の世話をするときに腰を曲げるのも難しく、かがむたびに突き刺すような痛みが全身に走るという状態だった。それでも、見ていると、彼女がとても創意に富む女性だとわかった。彼女は苗床を細く長くしていた。

そして古いスツールの脚を切り落として、苗床と苗床の間の通路に置き、そこに座って草取りをしていた。そうして座ったまま菜園をくまなく移動して、かごは後ろに置き、ロープで引っ張っていた。彼女はこうしながらも喜びにあふれ、実り豊かな収穫を楽しみにしていた。

豊かな収穫はたしかに約束されていた。植物は彼女の心を感じ取り、それに反応していた。年老いた彼女は、まもなく自分が死ぬことに気づいていて、息子に面倒をかけないよう、棺《ひつぎ》と花輪を購入し、自分の葬儀の基本的な準備をすべて整えていた。

女性は死ぬ前に、菜園から野菜を収穫して、冬に備えて息子のために瓶詰めにしておきたかった。私は彼女を見ながら、自分の菜園で植物ととても親しく交流している彼女が、なぜ重い病気にかかっているのか、そのことについて深く考えようとしなかった。

たぶん自分の菜園でとれた果実をまったく食べていないからだろう、そんなふうに思っていた。彼女は収穫したものはすべて売って、それで得たお金で、もっと安いものを買って食べていた。

私は女性を助けることにした。ある日、彼女が床に就いたとき、私は自分の光線で彼女を温めはじめ、病気を彼女の体から追い出そうとした。そのとき私の光線に抵抗している何かがあるように感じたけれど、私は癒しを続けた。納得する結果を得るまで、つまり彼女の体を癒すまで約十分以上かかった。

あとになって、祖父がやってきたとき、私はその女性についての話をし、なぜ、私の光線に何かが抵抗していたのかをたずねてみた。祖父はじっと考えていたけれど、そのあと、私がまちがったことをしてしまったのだと言った。私は動転し、うろたえて、どういうわけかと祖父にたずねた。彼は一瞬ためらったが、『きみが彼女の体を治したからだよ』と言った」

ここで私は割り込んで言った。「その人の魂に、きみが何をしたと言うんだい？」

アナスタシアはため息をつき、話を続けた。

「病気は治り、彼女は死ななかった。息子はいつもより早く彼女に会いにやってきた。彼はたった二日だけいて、すでに絵の勉強はやめている、画家にももうなりたいとは思っていない、収入を得られる別の何かをして働いていると言った。

　彼は結婚していて、お金も入るようになっていた。女性はもう息子のために瓶詰めを作る必要はなくなった。送料のほうが高くつくからだ。

『お母さん、もっとしっかり食べてよ』と息子は言った。

　彼は母から何も受け取らずに帰って行った。その朝、彼女はポーチに座り、小さな菜園を見つめていた。その目にあったのは、身ぶるいするほどの孤独と悲しみと生きることへの無力感だった。体は健康なのに、そこに命が宿っていない状態を想像してみて。私は、彼女の言いようのない孤独と絶望を見た、というより、感じた。

　もし、私が彼女の体に癒しを行なっていなかったら、彼女は最もふさわしいときに死んだはず。美しい夢と希望の中で。それなのに、そのあとの彼女は孤独すぎる中で生きていた。これは肉体の死よりもずっと悲惨。その二週間後に彼女は亡くなった」

プライベートな対話

「肉身の病は、人間の感情が味わう苦痛にくらべれば、とるに足らないものなのだと、そのとき私は悟った。でも、その当時、私はまだ魂を癒すことはできず、それが可能ならその方法を知りたいと思った。今はそれが可能であることを知っている。

私はまた、肉身の病が生じるのは、自然からの離脱や、自らに許している暗い気持ちのせいばかりではないということに気がついた。もっと大きな苦痛にたいして警告を発したり、その苦痛から救出するための仕組みとして働くこともあると知った。

病気は、偉大なる知性――神――と人間との、コミュニケーションのひとつの手段、ひとつの仕組み。人間の苦痛は神の苦痛だけれど、ほかに方法がない。たとえば、『あなたにとって良くないものを、なんでもかんでも腹の中に放り込むな』と、どうやってあなたに伝えられる？

そもそも、あなたがたは知性の声を聞こうとしない。そこで知性は、痛みをとおしてあなたがたに語りかける。でも、あなたがたは鎮痛剤を飲んで痛みを止め、また同じ自分のやり方を繰り返す」

「じゃあ、きみは結局、人は体調を崩しても、治してもらったり助けてもらったりしないほうがいいと思っているのかい？」

「助けは必要よ。でも、なにより、病気の根本的な原因についての正確な理解にもとづいた助けじゃないといけない。

偉大なる知性――神――がその人に伝えようとしていることを、本人が理解できるように助けること、それが最も大切。でも、これはとても難しく、人はここでまちがいを犯しやすい。結局、痛みは、お互いよく知っている者同士のプライベートな対話。第三者の介入はしばしば良い結果よりも悪い結果を招く」

「それじゃあ、なぜきみは、私の病気を追い出したんだい？　きみは私に害を与えたって言ってるのかい？」

「あなたがライフスタイルや、自分の周囲と自分自身にたいする姿勢を変えない限り、つまり、あなたの習慣をいくつか変えない限り、あなたの病気はすべて戻ってくる。そういうものがあなたの病気の原因だから。私はあなたの魂を害することは何もしていない」

彼女のもつパワーを活用して収入を得る件でアナスタシアを説得するのは、彼女自身が魂の癒しに関して完璧に理解しない限り無理であることは明白だった。私のビジネス・プランは崩れ去った。

おそらく、私のいらだちを感じ取ってか、アナスタシアが言った。「いらいらしないで、ウラジーミル。すべてのことを、今すぐ急いで考えてみる。もし、あなたが、ただお金もうけではなくて、本当に人々と自分自身を助けたいと思っているなら、自分で自分のさまざまな病を治す方法を教えるわ。これは、第三者が他人の運命に干渉するときに生まれがちな、望ましくない結果を伴わないし。もしあなたが聞きたいなら……」

「聞くしかないだろう。いずれにせよ、きみの考えを変えることなどできないんだ。話して」

「人間の体に生じる病にはいくつかの主な理由がある。たとえば、有害な気持ちや感情、不自然な食事の日課、食べるものの成分、長期および短期の目標の欠如、自分の本質と目的についての誤った考え。

人はポジティブな気持ちといろいろな植物を用いて体の病に対抗できるし、同様に、自分自身の本質と目的について再考することによって、自分の体と精神状態を変える多くのことをなしうる。

あなたがたの世界にあって、人と植物との間の失われたつながりを取り戻す方法については、すでにあなたに伝えたし、こうした植物との個人的、直接的な交流をとおして、ほかのすべてのものごとへの理解がよりたやすくなることも伝えたわ。

愛の光線は、あなたに近い誰かの中にある多くの病も癒すことができるし、その人の周りに愛の次元空間を創出することによって、その人の寿命さえ延ばすことができる。

でも人は、自身の内からポジティブな気持ちを呼び起こせていれば、その気持ちの助けによって、自分自身の痛みを和らげ、自分の体の病を治し、毒を無力にもできる」

「『呼び起こす』ってどういう意味？　それと、歯が痛かったり腹が痛かったりするときに、どうやってポジティブに考えられるんだい？」

「純粋で鮮明な生命の瞬間とポジティブな気持ちは、守護天使のように、痛みと病を打ち負かす」

「癒しをもたらすポジティブな気持ちか。でも、もしある人が、それを呼び起こすのに十分なほど純粋で鮮明な瞬間をもっていなかったら、どうすればいいんだい？」

「即座にそれを出現させる何かを考えつかないといけない。そういったものは、あなたの周りにいる人々が、心からの愛をもって接してくれるときに現われる。行動を起こして、そのような状況を創り出すこと。周りの人々にたいするあなたの行動で、それを創出する。そうしないと、あなたの守護天使はあなたを助けることができない」

「私に純粋で鮮明な瞬間とポジティブな気持ちがあるのかどうかもわからないし、それがどのくらい強いのかもわからない。どうしたらそれを呼べるんだい？」

「思い出の助けを借りればできる。あなたの過去の中から、幸せで楽しい思い出を取り出す。それを利用して、そのときあなたが感じていた、感謝にあふれた温かい気持ちをよみがえらせるの。今ここで試してみたい？　お手伝いするからやってみて」

「ああ、わかったよ。試してみるか」

「どうぞ、草の上に横になって。リラックスしてね。今のこの瞬間からはじめて、どんどん過去にさかのぼっていく。子どもの頃のことを思い出して、またこの現在まで戻ってくる。あなたは即座に、最も輝かしく楽しかった瞬間と、そのときの感覚を思い出せるはずよ」

私は草の上に横になった。アナスタシアは私のとなりに横になり、私の手の指に彼女の指を重ねた。私は彼女がそばにいると思い出に集中できなくなると思ったので、「ひとりになったほうがよさそうだ」と言ってみた。

「静かにしているわ。思い出しはじめたら、あなたは私のことを忘れるし、私の手の感触もなくなる。私はあなたがより速くより鮮明に思い出せるように助けるの」

桜の木

「ウラジーミル、この小さな木に関連して思い浮かぶことを全部思い出してみて。最初にこの木に触れたときのことから」

「やってみるよ。それが重要だってきみが考えるなら」

「そう、重要よ」

「私は車に乗っていた。どこに行こうとしていたのかは憶えていない。中央市場の近くで車を止めて、ドライバーに何か果物を買ってきてほしいと頼んだ。車の座席に座ったまま、人々が種々さまざまな苗木を引きずりながら、市場をあとにするのを眺めていた」

「あなたは彼らを見て驚いていた。何に驚いたの？」

「想像してみてほしい、みんなとても楽しげで、満足そうな顔をしていたんだ。雨が降っていて寒い中、根っこを布きれで丸く包んだ苗木を、やっとこさ運んでいたんだよ。苗木は重いのに、彼らは満ち足りた顔をしていた。一方の私は暖かい車の中に座っていながら、もの悲しい思いに沈んでいたんだ。

ドライバーが戻ったあと、私は車から降りて市場に行った。売り子たちの間を歩いて歩いて歩き回った末に、小さな桜の苗木を三本買った。それらをトランクにすとんと置いたとき、ドライバーが、三本のうちの一本を、すぐ捨てたほうがいいと言った。根が短かすぎるところで切られているから、長くはもたないというんだ。だが、私はそのまま持ち帰った。

その一本というのはいちばん均整のとれた形のいいものだった。私は郊外の別荘の庭に、この三本の苗木を自分で植えた。根が短く切られた苗木には、掘った穴にほかより多めの黒色土を入れ、ピートモス（＊ミズゴケなどが堆積してできた園芸用の保水材）と化学肥料もあげた」

「あなたは化学肥料で助けてあげようとしたけれど、かえってそのせいで、その木の小さい根を二つ燃やしてしまった」

「それでも、あれは生き残った！　春になって木々が芽吹くころ、枝が生き生きとしてきて、そこに小さな葉が現われた。そのあと、私はあの遠征に出かけたんだ」

「でもその前に、二カ月以上もの間、あなたは毎日別荘に車を走らせた。別荘に着いてまず最初にすることは、その小さな桜の木のところに行くことだった。ときどきあなたはその木の枝をなでた。その枝に芽吹いた葉を喜び、水をあげた。木が風に折れてしまわないよう、支柱を地面に打ち込み、幹をひもで結び合わせた。

ウラジーミル、植物は自分たちにたいする人間の態度に、どのように反応すると思う？　彼らは良い態度、悪い態度を感知すると思う？」

「家にある植物や花はそういうものを感知するって、どこかで聞いたか読んだかした気がする。彼らは世話していた人が亡くなると、しおれてしまうことさえあるらしい。それと、科学者が行なった実験についても聞いたことがあるよ。いくつかの植物にデータ・センサーを取りつけて、誰かが攻撃的な態度でひとつの植物に近づくと、センサーの針はある方向に動き、また誰かがやさしい態度で植物に近づくと、センサーの針は別の方向に動くらしい」

「ということは、ウラジーミル、あなたは知っているのね、植物は人間の気持ちの表出にたいして反応するということを。彼らは、偉大なる創造主のご計画どおりに、人間の必要に答えるため、力を尽くしてあらゆることをしようとするの。あるものは実を実らせ、またあるものは美しい花を咲かせて人間のポジティブな気持ちを呼び起こそうとし、さらにほかのものもすべて、われわれの吸う空気のバランスを保ってくれている。

そして彼らの目的にはもうひとつ、とても大切なものがある。ある人が植物と直接交流するようになると、その植物は彼のために真の愛の次元空間を形成する。この愛は、地球上のすべての生命にとって不可欠なもの。

多くのダーチュニクは、自分たちの菜園を心からいとおしく思っている。なぜならそこは、彼らにとっての真の愛の次元空間が形成されている場所だから。あなたが植えて気づかってあげた、あの小さなシベリア桜の木も、すべての植物が与えられた天命を全うするために行なうことを、自ら実行しようとした。

さまざまな種類の植物がたくさんあって、人間が直接交流し、愛をもってそれに触れている場合、植物は人間にとってそれだけ強力な愛の次元空間を形成できる。彼らは大勢で力を合わせて、人間の魂に良い影響を与え、体を癒すという、人間にとって重要な意味をもつ愛の次元空間を創り出す。

わかる？　ウラジーミル。植物がたくさんあるところでは、彼らはみんなで力を合わせる。でも、あなたはたったひとつの植物だけの世話をした。それで、あの小さなシベリア桜の木は、いくつかの植物が力を合わせてやっとできることを、たったひとりでやろうとした。

あの木の切なる望みは、あなたのあの木にたいする特別の態度によって呼び起こされた。あなたは自分の周りの環境の中で、この小さな木だけが、何も要求せず、偽らず、ただあなたに何かを返そうとしていることが直観的にわかっていた。嵐のように忙しい一日を終え、疲れ果ててあなたはあの木のところにやってきて、あの木をじっと見ていた。それで、あの木はがんばろうとした。

夜明けには、ひと筋の細い太陽光線がきらめきはじめる前に、葉は、明けていく空に反射するそのきらめきを懸命につかまえようとした。陽が沈んだあとは輝く星の光を利用しようとした。

そうしてなんとか、ささやかながらやりとげた。

その根は、自分を燃やしてしまう化学肥料をうまく避けながら、必要なものを地中から摂《と》ることができた。地中の樹液はふつうより少し速く木の葉脈を流れた。ある日あなたはやってきて、そのほっそりした枝々に小さな花が咲いているのを見た。

ほかの苗木には花は咲いていなかったのに、この木だけが開花していた。あなたは歓喜した。晴れやかな気分になってあなたは……ウラジーミル、憶えてる？　その花々を見たときにあなたがどうしたか」

「私は本当に嬉しかった。なぜか気分がとてもうきうきしてきて、その枝をなでてあげた」

「あなたはその枝をやさしくなでながら、『おお、マイ・ビューティ！　きみは咲いてくれたんだね！』と言った。

木は果実を実らすわね、ウラジーミル。でも、それだけじゃない。彼らは愛の次元空間も創り出す。桜の木は、あなたにどうしてもそれをもたせたかった。

でも、その小さな木は、人から受けたものにたいして返す力を、どこで得られると思う？

木はすでに、自分の力の中にあるすべてを与えてしまっていたけれど、かつてないやさしさに触れたその瞬間に、もっと返したいと思った。自分ひとりの力で！

あなたは長い遠征に出かけて行った。遠征から戻ったとき、あなたは庭を横切ってまっすぐに桜の木に向かった。歩きながらあなたは市場で買ったサクランボを食べていた。木のところまで来て、あなたはその桜の木にも赤い実が三つ垂れさがっているのを見た。

あなたは疲れきった様子で木の前に立って、市場のサクランボを食べ、核を吐きすてた。そして、あなたの木から実をひとつもぎとって食べた。それは市場のサクランボより少しすっぱかったので、あなたはあとの二つには手をつけなかった」

「私はいっぱいサクランボを食べていたし、木になっていた実はずっとすっぱかったんだ」

「ウラジーミル、これらの小さな実がどれほどあなたにとって有益なものを含んでいたかをあなたが知ってさえいたら……。どれほどのエネルギーと愛を含んでいたか。小さな木はあなたにとって益になるあらゆるものを、地球の深部と、広大な宇宙空間の両方から集めて、この三つの実に込めていた。これらの三つの実を実らすために、この木は枝の一つを枯らしさえした。あなたはひとつだけ食べてみて、あとの二つには手をつけなかった」

「だが、私は知らなかったんだ。それでも、小さな木が実を実らすことができたという事実は嬉しかった」

「そう、あなたは喜んでいた。そして……あなたはそのあとどうしたか憶えている？」

「そのあと？　桜の木の枝をもう一度なでてあげた」

「あなたはただなでただけじゃなかった。あなたは身をかがめて、枝についている一枚の葉を手のひらに載せてキスをした」

「うん、そうした。とても気分がよかったんだ」

「そして信じられないことがその木に起こった。それほどの愛を込めて熟成させた実をあなたが食べないとなると、木はあなたのためにほかにいったい何ができる？」

「なんだって？」

「その木は人間から受けたキスにふるえた。そして人間固有のものである想いや気持ちがその小さなシベリア桜の木から生まれ出て、人間から受けたものを返すために、宇宙にある光の次元空間へ飛んでいった。

愛のキスをしてくれた人間に感謝して、愛の光の感情で彼を温めようとした。すべての法則に反して、木の想いは宇宙を駆けめぐったけれど、その想いを体現する場を見出せなかった。体現できないということが現実化すれば、それは死を意味する。光の勢力は木にその想いを戻し、木が自身でその想いを破壊して自らの死を免れるようはからった。でも、この木は決してそれを実行しようとしなかった。

小さなシベリア桜の木の熱烈な願望はそのまま変わることなく、とてつもなくピュアで敬虔《けいけん》なまま残ってしまっていた。光の勢力はどうしたものかと途方に暮れた。偉大なる創造主は定められた調和の法則を変えることはなさらなかった。でも、桜の木は死ななかった。

木が死ななかったのは、その想いと願いと気持ちがあまりにピュアだったから。なぜなら、宇宙の法則は、純粋な愛を破壊することを何ものにも許していない。こうして木の想いはあなたの上をただよい、自らを体現できるものを探そうとして、猛烈な勢いで駆けまわっていた。広大な宇宙の中、たったひとりで、木はあなたのために、愛の次元空間を生み出そうと必死だった。私はなんとかして木を助けて、木が願っていることをかなえてあげたいと思って、あなたの船に出かけて行った。それが誰にたいしてのものなのかはまだ知らなかったけれど」

「きみの私にたいする態度は、木を助けたいという、きみの願いからきていたということ？」

「ウラジーミル、私のあなたにたいする態度は、私だけのものよ。誰が誰を助けているのか、助けられているのか、桜の木なのか私なのか、それを区別するのはとても難しい。宇宙ではすべてのものが相互に連結している。

あなたは現実に起こっていることを自分で受けとめ、理解しないといけない。でも今は、あなたさえよければ、桜の木が現実化したいと願っていたことをやってみる。木に代わってあなたにキスしていい？」

「もちろんいいよ。それが必要なことなら。それと、家に戻ったら、桜の木の実を全部食べるよ」

アナスタシアは目を閉じた。彼女は両手を胸におしあて、そっとささやいた。「チェリー、これを感じて。あなたは感じ取れるはずよ。今私はあなたが望んでいたことをするわ。これはあなたのキスよ、チェリー」

言い終えると、彼女は目を閉じたまま両手をすばやく私の両肩に置き、ぐっと近くに寄り、私の頬《ほお》に唇をつけて、そのまま動かずにいた。

奇妙なキスだった。たんなる唇の軽い接触。だがそれは、それまで経験したどんなキスともちがっていた。かつて味わったことのない、とてつもなく晴れやかで陽気な感覚が私を満たした。唇や舌や体の動かし方といったテクニックはおそらく重要なことではないのだ。大事なのは、人の内面に隠されていて、キスによって表に現われ出てくるものなのだろう。

だが、このタイガの世捨て人の内面にはいったい何が隠されていたのだろう。彼女はどこで、この知識と、特殊な能力と、感覚とを身につけたのか。あるいは、彼女が語ったことはすべて、たんに彼女のイマジネーションが生み出したものなのか。

しかしそれならば、内なる私のすべてを温めた、あの途方もなく陽気でうっとりするような感覚はどこからきたのか？　たぶん、われわれの力を合わせれば、私が目撃した次の場面から、その秘密を明らかにすることができるだろう。

誰の責任？

ある日、アナスタシアは自分の生き方や信仰について私に説明しようとしていたのだが、私が理解できる適切な言葉、彼女がなんとしても見つけたいその言葉を見つけられなかった。

彼女は響きわたるシベリア杉、リンギング・シダーのほうにさっと向きを変え、両手のひらをその幹にあてた。不可解な何かが起こりはじめた。彼女は上を見あげながら、杉のこずえか、あるいは上方にいる誰かに向かって、ひらめきに導かれるように、熱烈な感じで話しはじめたのだ。最初のうちは言葉で、そのあとはサウンドで。

彼女は何かについて説明や証明を試み、何かを懇願《こんがん》しているようだった。そのモノローグはときどき非常に強烈できつい調子を帯びた。パチパチとはぜるような、リンギング・シダーの鳴る音が強くなった。シダーの光線はより輝きを増し、層も厚くなった。

するとアナスタシアは命令するようなきつい調子で言った。「答えなさい！　答えて！　はっきりと説明して！　教えなさい！　教えて！」こう言いながら彼女は頭を振り、はだしの両足を踏み鳴らすことさえした。

リンギング・シダーの頂きの光輪から、青白い輝きがシダーの光線のほうに勢いよく流れ、光線は突然シダーから離れて上空へと飛び去った、あるいは、溶け込んでいったようにも見えた。と同時に、シダーのほうへと昇っていくもうひとつ別の光線が現われた。それは青みがかった霧か雲のように見えた。

下に向いたシダーの針葉は、同じく雲のような、かろうじて見分けられるかすかな光線によって照らし出され、これらの光線はアナスタシアのほうに向かって流れてきたが、彼女には触れず、周りの空気に溶けて消えていったように見えた。

彼女が再び、尊大な態度で両足を踏み鳴らし、さらにリンギング・シダーの巨大な幹をぴしゃりと打つことまでしたとき、輝いていた針葉は動きはじめ、それを照らしていた細い光線は合流して一本の雲のような光線になった。だが、その光線も、アナスタシアのほうに降りてはきたが、彼女には触れなかった。それはアナスタシアから約一メートルの距離にきたところで、まるで蒸発したように空中に消えはじめ、約三十センチのところで完全に消えていった。

私は恐怖とともに思い出した。アナスタシアの両親は、たしかこういった類の光線が原因で亡くなったのだ。

アナスタシアは頑固なまでに何かを懇願し、要求しつづけていた。それはまるで、わがままな子どもが、自分のほしいものを両親にせがんでいるような執拗《しつよう》さだった。突然、光線が彼女のほうに向かって炸裂《さくれつ》し、閃光《せんこう》電球のように彼女を照らし出した。

小さな雲がひとつ、アナスタシアのまわりに形成され、やがて消えはじめた。シダーから発していた光線は溶けて見えなくなり、針葉から流れ出ていた細い光線も消えていった。アナスタシアの周りにあった小さな雲は完全に消えていた。それは彼女の中に入ってしまったか、あるいは空中に溶けていったようだった。

彼女はくるりと向きを変え、満面の笑みで顔を輝かせながら、私のほうに一歩向かおうとしたが、私を通り越した後ろのほうをじっと見つめたまま立ちすくんだ。後ろを振り返ると、アナスタシアの祖父と曾祖父が草地に入ってくるのが見えた。

白髪で背の高い彼女の曾祖父は、羊飼いがもつような曲がった杖《つえ》を支えにして、祖父の少し前をゆっくりと歩き、私のところに来て立ち止まった。彼は私を通り越した先のどこかを見ていて、私が見えているのかどうかさえ疑わしかった。

彼は黙って立っていたが、そのあと、私にたいするあいさつの言葉も何もなく、わずかに会《え》釈《しゃく》をして、そのままアナスタシアのほうに歩いていった。祖父のほうは、口うるさいがとても単純な人だ。彼の全身が陽気で善良な人間であることを表現していた。

私のところにやってきて、いきなり立ち止まった祖父は、ごく自然に私の手をとり、握手をした。何やら話しはじめたが、そのとき彼が言ったことは何も頭に残っていない。なぜか、彼も私も、そのときシダーの横で起こっていることを、神経をとがらせながら見つめはじめていたのだ。

曾祖父はアナスタシアから約一メートルのところで立ち止まった。二人は黙ったまま、お互いの顔を見つめながらしばらく立っていた。白髪の老人の前で、厳しい試験官の前に立つ女学生のように起立したアナスタシアの姿は、まるで悪いことをした子どものようで、その動揺ぶりがはっきりと見てとれた。

緊迫した沈黙が流れる中、白髪の曾祖父の、深くやわらかで凛《りん》とした声が鳴り響いた。アナスタシアへのあいさつはぬきで、彼は一語一語ゆっくりと、はっきりした厳しい口調でたずねた。

「誰がわれわれに与えられている光とリズムをとおさずに、彼と直接話ができるのかね？」

すると、アナスタシアは間髪を入れずに答えた。「誰でも彼と話せるわ！　そもそも本来は、彼ご自身が大きな喜びをもって人間に話しかけられていた。そして、今もそれを願っておられる」

「彼に通ずるすべての道はあらかじめ決められているのかね？　地球上の多くの人々にそれがわかるのかね？　おまえにはその道が見えるのかね？」

「見えるわ。私は人々のためにあらかじめ決められていることを、ずっと見てきたの。未来は、今生きている人たちの意識にかかっている。そのことをずっと見てきた」

「彼の息子たちと、彼の神聖なスピリットを理解できる弟子である覚者たちは、今地上に生きる人々を理解に導くために、十分なことを成し遂げたのかね？」

「彼らはそれを成し遂げたし、今も、自身の労を惜しむことなく、あらゆることに手を尽くしている。彼らは真実を担ってきたし、今も担っている」

「これらの真実に触れる人は、彼の神聖なスピリットがもつ意識や善や偉大さを疑うことはないのかい？」

「彼に匹敵するものは存在しない。彼は唯一。でも彼は人間との接触を願う。彼は自らが愛するように愛されたいし、理解されたいと願っている」

「おまえの無礼でわがままな接触の仕方は、許されるものなのかね？」

「彼は地球に生きるすべての人に、彼の神聖なスピリットと意識の小さな粒子を与えられた。そして人間の内にあるその小さな粒子、つまり彼の粒子が、世の中の一般常識に同意しないとき、つまり、神ご自身の想いではない地球人類の想念にたいして、神はすべて同意するわけではないことを意味する。人間の内にある彼の粒子は想う。その神の想いが無礼などと呼ばれることはありえる？」

「彼の想いの速度を速めることなど誰に許されている？」

「許すことのできる方だけに許されている」

「おまえは何をたずねていたのだ？」

「理解しない人々にどうやって理解させるのか、感じない人々にどうやって感じさせるのか」

「真実を受け入れない人々の運命は定められているのかね？」

「真実を受け入れない人々の運命は定められている。だけど、真実に目覚めることができない人々への責任はいったい誰にあるの？　それに目覚めない人？　それともそれを伝えない人？」

「なんだって？　おまえは……自分の責任だと言いたいのかね？」曾祖父は動揺を隠せない様子で言い、口をつぐんだ。

彼は黙ったままアナスタシアをしばらくじっと見つめた。それから曲がった木の杖によりかかるようにしてゆっくり片ひざをつき、アナスタシアの片手をとり、白髪の頭を下げて、彼女の手にキスをして言った。

「こんにちは、アナスタシア」

アナスタシアはすばやく曾祖父の前に跪《ひざまず》き、驚いた様子であわてて話しはじめた。

「何してるの？　曾《ひい》おじいちゃん。子どもの頃みたいに。もう大人よ、私」

それからアナスタシアは両腕を曾祖父の肩にまわして、その胸に頭を休ませた。曾祖父の白いあごひげが彼女の頭をおおい、彼女はそのままじっとしていた。私にはアナスタシアが曾祖父の心臓の鼓動を聞いているのがわかった。彼女は子どもの頃からそれを聞くのが好きだったからだ。

白髪の老人は片ひざをついたまま、片手で杖によりかかりながら、もう一方の手でアナスタシアの金色の髪をなでていた。

祖父のほうはそわそわと落ち着かない様子となり、父親とそこに跪いている孫娘のほうに走り寄った。そっと近づき、両腕を広げ、彼もまた突然両ひざをついて、二人を抱きしめた。

最初に立ちあがったのは祖父で、彼は父親を支えて立たせてあげた。曾祖父はアナスタシアの顔をもう一度じっと見つめたあと、ゆっくりと向きを変え、来た道を戻っていった。祖父はすぐさま誰に向かうともなく話しはじめた。

「みんなが彼女を甘やかしているんだ。神でさえも。見てごらん、彼女がどんなおせっかいをしでかしたか。彼女は自分がそうしたいと思えば、どこにでも首を突っ込むんだ。彼女のそういうところを直すように教育する者がいない。いったい誰がダーチュニクを助けるんだい？　誰が？」

曾祖父が立ち止まった。ゆっくりと振り返るなり、再び、深く響くやわらかな声ではっきりと言った。

「可愛い孫娘や、おまえの心と魂が命ずることを行ないなさい。わしがおまえのダーチュニクの仕事を手伝おう」そう言うと、威厳に満ちた白髪の老人は再びこちらに背を向けて、ゆっくりと草地から出ていった。

「ほらね、みんながこうして彼女を甘やかしているんだ」と、祖父はまた話しはじめた。

彼は小枝を拾いあげ、「だから私はこうして彼女に教えてやるのさ」と言って、小枝を振り回しながら、気どった足どりでアナスタシアに近づいていった。

「あ、やめて！」とアナスタシアは手をたたき、怖がっているふりをしたが、思わず笑い出して、近づいてきた祖父からさっと身をかわして逃げた。

「彼女はどうせ逃げ切れると思っているんだ。私が追いつけるはずがないとね」

そう言って祖父は、楽々と並外れたスピードでアナスタシアを追いかけはじめた。彼女は笑いながら円を描くように草地を走り、逃げ回った。祖父はついていけないことはなかったが、追いつくこともできなかった。

突然、祖父はあえぐような声を発して、両足をつかみながらバタンと倒れた。アナスタシアはさっと振り返った。心配そうな顔だ。祖父のところに走り寄り、片手を差し出したが、そこで動きを止めた。さざめくような人を誘い込む彼女の笑い声が草地に広がった。私は祖父の格好をよく見て、彼女の大笑いの理由を知った。

彼は片方の脚の上に座り込んだかっこうで、もう一方の脚を宙に浮かしたまま前方に突き出し、それを片手でつかみ、その体勢で下になった脚を怪我を装ってなでていた。彼はアナスタシアをだましたのではなく、その裏をかいたのだった。

あとになってわかったが、祖父は彼女に、自分のかっこうのちぐはぐさと、その可笑《おか》しさにすぐ気づいてほしかったのだ。アナスタシアが笑っている間に、祖父は彼女の腕をつかみ、小枝を拾いあげて、いたずらっ子にするように軽くひと打ちした。

アナスタシアは笑いながら、痛いふりをした。祖父は押しころしていた笑いが止められないいま、両腕を彼女の肩にまわして言った。「よし、もう泣くのはやめなさい。わかったかな？　当然の報いだよ。これからは言うことを聞くんだね。じつは、年寄りの鷲《わし》の訓練をはじめたところだよ。年寄りだが、まだまだ強くて、たくさんのことを憶えているんだ。だがなあ、彼女は何にでも軽々しく首を突っ込むからなあ……」

アナスタシアは笑うのをやめ、注意深く祖父の顔を観察したあと、大声で叫んだ。「おじいちゃん！　大好きなおじいちゃん！　鷲？……ということは、おじいちゃん、もう赤ちゃんのこと知ってるの？」

「星が出ていたんだよ！」

アナスタシアは最後まで言わせず、祖父の腰に腕をまわして抱きつき、持ちあげて、くるくる回りはじめた。彼女が祖父を地面におろしたとき、彼はよろめき、いかめしい顔を装って言った。「これが年長者にたいするおまえの接し方なのか？　まったく。この甘えん坊め」そう言うと、彼は小枝を振り振り、父親に追いつこうと急いで歩み去った。

祖父が草地の端の木々まで行き着いたとき、アナスタシアは彼に向かって叫んだ。「おじいちゃん、大好きなおじいちゃん、鷲をありがとう！　ほんとにありがとう！」

祖父は振り返って彼女を見た。

「ただ、可愛い孫娘や、お願いだから……」彼の声の調子はとてもやさしかったが、途中で言葉を途切らせ、やや厳しい口調で言った。「いい子でいるんだよ」

そして彼の姿は木々の後ろに消えていった。

答え

二人だけになると、私はアナスタシアにたずねてみた。「どうしてきみは鷲《わし》のことがそんなに嬉しかったんだい？」

「幼い子どもには鷲が一羽どうしても必要なの」と彼女は答えた。「私たちの子どもよ、ウラジーミル」

「遊ぶための？」

「そう、ただこの遊びは、大きくなってからの彼の叡智と感覚に、とても大きい意味をもつ」

「なるほど」と私は言ってみたが、たとえ鷲であろうと、いったいどんな遊びが鳥との間に成り立つのか、まったく見当がつかなかった。

「ところで、きみはさっき、リンギング・シダーのそばで何をしていたんだい？　祈っていたのか、それとも誰かと話をしていたのか……。いったいシダーときみに何が起こった？　きみの曾《ひい》おじいさんはどうしてあんなに厳しい口調で、きみに話をしていたんだい？」

「ウラジーミル、答えて。あなたは、何か意識的なものがどこかに存在すると思う？　見えない世界、コスモスとかユニヴァースとかに、意識は存在する？　どう思う？」

「科学者たちでさえその何かについて話題にしているし、マスコミや聖書もそれを取りあげているわけだから、たしかに存在すると思うよ」

「それでこの『何か』とは……あなたにいちばんぴったりくる呼び方は何？　これは大事なことよ。それを知ることで、同一の定義をもつことができるから。たとえば、意識、知性、存在、光の勢力、空《くう》、絶対的実在、リズム、精神《スピリット》、神」

「『神』と呼ぼう」

「いいわ。では、答えて。神は人間に話しかけようとする？　どう思う？　天からの声をとおしてとかではなく、人々や聖書をとおして。たとえば、より幸せでいられる方法について示唆するために」

「でも、必ずしも神が聖書を書かせたとは限らないよ」

「じゃあ、誰が書かせたと思うの？」

「それは宗教を創り出したいと考えた人たちかもしれない。彼らはどこかに座って共同で書いたんだ」

「あなたはそれがそんなに簡単なことだと思うの？　人々が座って、一冊の本を書いて、さまざまな話題と律法を考えついたと？　この本は数千年以上もの間存在しつづけていて、今日に至るまで、最も普及し、広く読まれている本よ！

　ここ最近の数世紀の間にほかの本もたくさん書かれてきたけれど、この本にくらべうるものはほとんどなかった。これはいったい何を意味すると思う？」

「わからない。もちろん、古代からの書物は長い間存在しつづけているけれど、大多数の人は依然として同時代の文学、つまり、小説やさまざまなミステリーなどを読んでいる。どうしてなのかね？」

「なぜなら、そういったものを読むときは、ほとんど何も考える必要がないから。ところが聖書を読むときは、多くの疑問にたいして、即座に考えて自分で答えを見つけないといけない。そうするうちに、聖書は理解しやすくなり、よく見えてくる。

　もし故意に、聖書をたんなるドグマとして扱った場合は、聖書を読んで、いくつかの戒《いまし》めを覚えさえすればよいということになる。でも、自分の内で理解されることなく外から押しつけられたドグマは、創造者である人間の可能性を排除してしまう」

「聖書を読むときは、どんな疑問に答えるべきなんだい？」

「まず第一に、なぜファラオは、イスラエルの民をエジプトから出さなかったのかを考えてみて」

「そこは考えるところじゃないだろう？　イスラエルの民はエジプトで奴隷の身だったんだ。自分の奴隷を解放したいとは誰も思わないだろう？　彼らは働いて、ファラオに税を納めていたんだから」

「聖書には、イスラエルの民は幾度となくエジプトの全地を呪《のろ》ったと書いてある。彼らはエジプト人の長子と家畜の初子を皆殺しにさえした（＊出エジプト記第十一章五節）。後にファラオは魔術師たちを火あぶりにしたけれど、それでも彼らを解放しようとはしなかった。

もうひとつ別の疑問に答えて。ヘブライ人の奴隷たちは、四十年もの間流浪するのに十分な日用品と家財と家畜を、どこで手に入れることができたの？　それと、進んでいく道の途上の街を占拠したり破壊したりするための武器を、どこで手に入れた？」

「どこでってどういう意味？　神が彼らにすべてを与えたんだろう？」

「神だけがそうしたとあなたは思うの？」

「ほかに誰が考えられる？」

「ウラジーミル、人間は完璧な自由をもっているのよ。人間は神が最初に与えた光あるものすべてを利用する機会に恵まれている。でも、同時に彼は別のものを利用することもできる。人間は相反するものの融合体。ほら、素晴らしい太陽が輝いている。これは神の創造物。すべての人に与えられている。あなたにも私にもヘビにも草にも花にも。

でも、蜜蜂は花から蜜をとり、蜘蛛《くも》は毒を吐く。それぞれが自分の目的をもっている。蜜蜂も蜘蛛もそれ以外の生き方はしない。人間だけよ！　ある人は太陽の最初の光線のきらめきを喜び、別の人はそれを呪う。人間は蜜蜂にも蜘蛛にもなれる」

「ということは、神はヘブライ人のために、すべてを整えてあげたわけではないときみは言いたいのかい？　それなら、神は何をして、何が神の業《わざ》なのか、それをきみはどうやって判別できるんだい？」

「人が何か重要なことをするときには、二つの相反する要素がつねにそこに含まれている。人は自分に与えられている選択権を行使するけれど、どちらを選択するかは、彼のもつ純粋性と自覚によって決まる」

「わかった、それは本当だとしよう。きみがシダーのそばに立っていたとき、きみは彼と話そうとしていたのかい？」

「そう、私は彼に答えてほしかった」

「そして、きみの曾おじいさんは、それをよく思わなかったということかい？」

「曾祖父は、私がずいぶん無礼なやり方で話し、詰問していると思った」

「きみは本当に詰問しているようだった。私は見たよ。両足を踏み鳴らして懇願していた。きみはどうしてほしかったんだい？」

「私は答えを聞きたかった」

「何の答え？」

「あのね、ウラジーミル、神の本質は宿るべき肉身をもっていない。彼はいかに生きるべきかを、万民に向かって声を限りに天から叫ぶことはできない。けれど、彼はすべての人間が幸多く生きることを願っている。だからこそ彼は彼の息子たち――彼の意識や魂に、あるレベルまで入り込んで把握できる人々――をこの世に遣《つか》わされた。

彼の息子たちは、それぞれ異なる人々にそれぞれ異なる言語で語りかける。あるときは言葉で、あるときは音楽や絵画の助けを借りて、あるいは何かの行為をとおして。人々はあるときは耳を傾け、あるときは彼らを迫害し、殺す。たとえばイエス・キリストの場合のように。そして神は再び息子たちを遣わされる。でも、いつも一部の人々だけが彼らの言葉を聞き、ほかの人々はそれを理解することができず、幸福の法則に違反してしまう」

「なるほど。だから神は地球規模の大災害や、最後の審判などで人間を罰しようとするのかい？」

「神は誰をも罰しないし、大災害など必要としない。

神は愛よ。でも創造の初めから計画され、創られていたことがある。人間が真理の本質に目覚めないまま、ある限界に達したとき。人間の中に現われる闇の原理が臨界点に達したとき。

そのとき、総体的な自己壊滅を回避するために、地球の大災害は、多くの人間の生命を奪って、有害で人工的な生活システムを破壊する。大災害は生きて残された者たちへの教訓となる。

大災害のあとしばらくの間、人間は恐ろしい地獄を生きなければならないけれど、それは人間自らが創り出したもの。この地獄の状態に陥るのは生き残った人たち。それから彼らの子どもたちの代になってしばらくの間は、本来の源、すなわち根源なるものに立ち返ったような生き方をして、天国と呼べるようなレベルにまで到達する。そのあと、またそこからの逸脱が起こり、再び振り出しに戻る。こうして地上の計算では何十億年もそれが繰り返されている」

「もし、何十億年もの間、そうしたすべてのことが、避けられないものとして繰り返されているんだったら、きみはあのとき、いったい何を要求していたんだい？」

「どのようにして、大災害以外の方法で、人々に真実を知ってもらい、分別を得させることができるのか、私はそれを知りたかった。あのね、大災害は、真実を理解しない人々の落ち度だけによるのではなく、それを伝える方法が十分に効果的でないために起こると私は判断したの。

それで、私は彼に、その方法を見つけて私かほかの誰かに、それを明らかに示してほしいと頼んだ。誰に示されるかは大切なことではない。大切なのは、その方法が与えられ、それが有効に機能するということ」

「彼はきみに何と答えたんだい？　彼の声はどんな声？」

「彼の声がどんな声か教えられる人はいない。彼の答えは、人が自分自身の考えを突然発見するようなかたちで現われる。結局彼は、すべての人の内にある彼の粒子をとおしてしか話すことはできず、その粒子は振動のリズムによって、情報をその人の内のすべての部分に送り届ける。

だから、人間は自力で多くのことができるし、人間だけですべてを行なっているような印象を与える。結局、人間は神に似た存在。人間は誰でも、その誕生のときに神によって吹き込まれた小さな神の粒子をもっている。神はご自身の半分を人間に与えられた。

でも闇の勢力は、その神の粒子の影響をブロックするために、あらゆる手を尽くし、人間の気をそらして、それと接触させないようにする。そうすることによって、神との接触を阻《はば》もうとする。人間の内の小さな粒子は孤立しているとき、とくにそれが根源の力とつながっていないときは、闇の勢力にとってはとても闘いやすい。

これらの粒子がいくつか結束して光を切望している場合、闇の勢力にとって、それを封じ込め打ち負かすことはとても難しくなる。また、たったひとりの人の内に住むたったひとつの粒子であったとしても、神との最大限の接触をもっていれば、闇の勢力は、その人を、そのスピリットと理知を、征服することはできない」

「そうするときみは、人々に何を伝え、どうやって地球の大災害を避けることができるか、その答えを、きみの内に生まれさせてほしいと彼に訴えた。そういうことだね?」

「だいたいそういうこと」

「それで、どんな答えがきみの内に生まれたんだい?　どんな言葉をきみは人々に伝えないといけないのか」

「言葉……たんなる言葉をふつうに発しただけではとても十分じゃない。あまりに多くの言葉がすでに語られている。それにもかかわらず、人類は全体として地獄への道を歩みつづけている。

喫煙や飲酒がどれほど体に悪いかについての言葉、あなたは聞いたことない?　あなたに最もわかりやすい言語を使って、医者やその他さまざまな人たちが、いつも警告するけれど、あなたはそれを執拗に続けている。

あなたは自分の健康が損なわれてきているにもかかわらず、それをやめない。痛みでさえもこの喫煙や飲酒やその他の有害な習慣からあなたを遠ざけることはない。神はあなたに、『それをしてはいけない！』と、痛みをとおして教えているのに。

この痛みはあなたのものですらない。それは彼の痛み。それなのに、あなたは鎮痛剤を飲み、自分を楽しませることに余念がない。どうして痛みが生じるのか、そんなことをあなたは考えたくない。

それと同じように、人間はそのほかのもろもろの真実もすべて知っているのに、それを遵守《じゅんしゅ》しない。こうして真実は、人間のはかない錯覚に惑わされたむなしい享楽に売り渡されている。

これは、知ることに加えて、ほかの楽しみを感じさせる何か別の道を、人々のために見出さなければならないことを意味している。

それを知った人は、すべてを自分で比較できるようになり、理解するようになる。彼は神から与えられた粒子をブロックする障害物を自ら取り除く。むやみに大災害の話をして人の恐怖をあおったり、真実を把握できない人を責めたてたりしてはいけない。この神の粒子、この真実を担う人は誰でも、もっと完璧な説明の方法が必要であることを理解するはず。曾祖父は私のこの考えに賛成してくれた」

「でも、それは彼の言っていたこととはちがうね」

「曾祖父はあなたには聞こえていないこともたくさん話したわ」

「もし、二人が言葉なしで理解しあえたというなら、どうして言葉を使って話したりしたんだい？」

「あなたの目の前で二人の人が、あなたの母国語を知っていながら、あなたの理解できない外国語でお互いに話しているのを聞いたら、何か侮辱されているように思わない？」

私は考え込んだ。「彼女の話すことすべてを信じるか、信じないか、そのどちらかだ。もちろん、彼女はそれを信じている。彼女はただ信じているだけではなく、行動している。なんとか彼女の熱を少しさますことぐらいはできるかもしれない。さもないと、彼女は疲れきってしまう」

そこで私は口を開いた。「ねぇ、アナスタシア、きみは自分をこんなに疲れさせちゃいけないんじゃないのかい？　シダーのそばであんなに必死に懇願するようなこと。青みがかった輝きというか、炎みたいなのが、シダーからきみのほうに降りてきたんだ。きみの曾おじいさんやおじいさんが動揺するのも当然だよ。これはとても危険なことなんだろう？

すべてのことを人々に最も効果的に説明する答えといっても、もし神が息子たちの誰にもそれを与えなかったら、その答えは存在しないということだよ。地球規模の大災害が、それを説明する最も効果的な手段ということになるのかもしれない。きみがあきらめないと、神はきみのことを怒って、きみが首を突っ込まないよう罰を与えるかもしれない。おじいさんが言うようにね」

「彼はやさしいの。彼は罰しない」

「でも彼はきみに何も教えてくれない。たぶん、彼はきみの話を聞きたいとは思っていないんだ。きみはただ自分のエネルギーを浪費しているだけだ」

「彼は聞いてくれるし、答えてくれる」

「彼は何を答えるというんだい？　きみは今何かを知っているのかい？」

「彼は私がどこでその答えを見つけられるのか、どこで探すべきなのか、それに気づかせてくれた」

「気づかせてくれた？　きみに？　それはどこなんだい？」

「相反するものが融合しているところ」

「どういう意味？」

「たとえば、こういうこと。二つの相反する人間の意識の流れが合流して、新しい強力なものとなってアヴァタンサカ・スートラ（＊大方広仏《だいほうこうぶつ》華《け》厳経《ごんきょう》。大乗仏教の経典のひとつ。時空を超越した絶対的存在としての仏を説いた）が生まれ、それが中国や日本で華厳という哲学として結実した。これらの哲学はかつてなかったほどの完成された偉大な世界観の要素を秘めていて、現代物理学に見られるモデルや学説に匹敵するものをもっている」

「何だって？」

「あ、ごめんなさい！　私、何を言ってるんだろう。うっかりしていたわ」

「何を謝っているんだい？」

「あなたが会話では使わない言葉で話してしまった」

「たしかにそのとおり。私は使わない言葉だ。まったく理解不能だ」

「もうそういうことは絶対しないようにする。どうか、怒らないで」

「怒らないよ。ただ、きみがその答えをどこでどのようにして探すのか、ふつうの言葉で説明してくれればいいんだ」

「私ひとりではそれを見つけることは絶対できない。それは相反する考えをもった異なる人々の内にある神の粒子が、共同して努力して初めて見出せるものなの。

私たちの結束した努力をとおしてのみ、意識が住んでいる見えない次元空間にそれは現われる。この次元空間は光の勢力の次元空間とも呼べるところ。それは人間が住む物質世界と神との間に存在する。

私はそれを見るし、ほかの多くの人たちもそれを見る。そのあとは、全世界的な気づきを得て、大災害が起こらないよう、闇の勢力の時間域を超えて人々を運ぶことはずっと容易になる」

「だが、もっと具体的に言うと、それを出現させるために、人間は今、何をすべきなんだい？」

「たくさんの人が、ある決められた時間に目覚めることができればいいのだけれど。たとえば、みんなが朝六時に起きて、何かいいことを想えばいいの。特別決められたことではなくて、何でもいい。大事なのはその想いが、明るい想いであること。

子どもたちのことや、愛する人たちのこと、さらに、どうすれば、ものごとがみんなにとってうまくいくかについてでもいい。たった十五分間でいいから、そういうことをイメージしてみて。人々がこれを実行すればするほど、答えはそれだけ早く現われる。

地球上の時間帯は地球の回転によって異なっているけれど、これらの人々の光に満ちた意識によって創出されたイメージは、合流してひとつとなり、輝かしい飽和状態の意識を形成する。光の勢力に帰属する明るい意識が同時的に生まれると、各人の能力は何倍にも強化される」

「ああ、アナスタシア、きみは本当に無邪気だね。いったい誰が、十五分間何かを想うために朝の六時に起きる気になる？　人がそんな早い時間でも起きるのは、たとえば仕事があるとか、あるいは出張で飛行機に乗る必要があるときだけだ。『そういうことは誰かほかの人に想ってもらってくれ。私は寝る』ってみんな言うよ。きみは助け手を見つけるのに苦労する」

「ウラジーミル、あなたは助けてくれないの？」

「私が？　私は必要がない限り、そんな朝早くは起きない。もしなんとか起きたとしても、この私が、いったいどんないいことを想えるっていうんだい？」

「そうね、たとえば、私がこれから産む小さい息子――あなたの息子――のこと。太陽の陽射しが彼に頬ずりし、ピュアで美しい花々が彼の周りに咲き、ふわふわした綿毛のリスが彼と遊んでくれるとき、彼がどれほど嬉しく幸せか。

もしすべての子どもたちがこの太陽の暖かさに包まれ、誰も彼らを悲しませることがなかったら、どれほど素晴らしいかを想って。それから、その一日の中で、あなたは誰に向かって素敵な言葉をかけ、微笑《ほほえ》みを分けてあげるのか、その美しい世界が永遠に続いたらどれほど素晴らしいか、それを実現するために、あなたは、あなた自身は何をなすべきか、そういうことをイメージしてみて」

「私は息子のことを想うし、ほかにも何かいいことを想うようにする。でも、今ひとつよくわからない。きみはこの森にいて想っているし、私は街のアパートにいる。われわれ二人だけだよ。たくさんの人が必要なんだろう？　そういう人がもっとたくさん現われるまで、なぜわれわれがこんな間の抜けた努力をしないといけないんだい？」

「ひとりだって、誰もいないよりはいいの。二人が一緒に力を合わせるのは、二人がただ二人のままでいるよりいいの。このあと、あなたが本を書けば、人々は現われてくる。私はそれを感知するし、そのひとりひとりに大きな喜びを感じる。私たちは光の勢力の次元空間をとおして、お互いに感知し合い、理解し合い、助け合うことを学んでいく」

「きみの言うことはすべて、私にとってはまだ、信じるか信じないかという次元の話だな。人間の意識が住んでいる光の勢力の次元空間っていうのが、私にはまだ完全には信じきれていない。それは触れることのできない世界だから、証明されることはないんだ」

「でも、あなたがたの世界の科学者たちは、意識は物質的なものだと結論づけているわ」

「たしかにそうだが、それも私には意味不明だ。意識は触れることができないものだから」

「でも、あなたが本を書けば、あなたはそれに触れることができる。両手にもつことができる。物質化した意識のように」

「また本か！　私はそれを信じないって言ったはずだ。とくに、きみだけにわかる文字の組み合わせの助けを借りて、光の気持ちを読者の内に呼び起こすことができるとか、その気持ちが、本の中の何かについて読者が理解するのを助けるとか、そういうことは信じていない」

「私がどのようにそれを行なうのか、あなたに話したわ」

「たしかに聞いたよ。でもまだ信じられない。もし私が本をなんとか書こうとしたとしても、すべてを一気には伝えないと思う。みんな笑うだろうし。それに、じつは正直に言うとね、アナスタシア……」

「正直に言って」

「きみを傷つけてしまうかもしれないんだが、大丈夫かな？」

「大丈夫」

「きみが語ったすべてのことを、われわれの世界の科学者たちと一緒に検証しないといけないし、さまざまな宗教や現代の教えがそれについてどういう見解を示すか、それも比較検討してみないといけない。われわれの世界には今、無数の学科と学説があるんだ」

「もちろん、検証してみて。検証すべきよ」

「それと、私はきみがいい人だということはわかっている。きみの哲学は興味深く、とてもユニークなものだ。でも、きみの行動をほかの人たち、つまり魂とかエコロジーとかに関心のある人たちの行動とくらべてみると、きみは彼らの中で最も遅れているように見えるんだ」

「どうしてそう思う？」

「自分で考えてみて。きみの言う賢者たち、いわゆる悟りを得た人々には、必ず隠遁生活を過ごした時期がある。釈迦は七年間、森の中で隠遁の生活をし、あの教えのすべてを生み出した。世界には多くの彼の信徒がいる。キリストはひとりで荒野に入り、四十日間をそこで過ごした。今や彼の教えは多くの人々に尊ばれている」

「イエス・キリストは、何度も人里離れたところに身を隠した。彼は歩きながらもずっと思索していた」

「そうだね、四十日どころじゃなかった、一年ぐらいとしよう。今では聖人と呼ばれる長老たちも、ふつうの人たちだった。彼らはある期間森に入り、そこで隠遁の生活をした。彼らの隠遁の場所には修道院が建てられ、弟子たちが集まるようになった。そうだよね？」

「そう、そのとおりよ」

「それなのに、きみは森の中に二十六年間住んでいながら、たったひとりの弟子さえもっていない。きみは何の教えも見出していない。そして私に本を書くようにと頼む。藁《わら》をもつかむ思いでそれにしがみついている。きみは自分のしるしと文字の組み合わせをその本の中に入れることを夢見ている。

もし、きみの考えることが、ほかの人たちとはちがって、うまくいっていないようなら、それはやってみる必要もないのかもしれない。たぶんもっと力のあるほかの人たちが何かを考えつくだろう。きみがいなくても。だから、もっと現実に根ざしたシンプルな生き方をしていこうよ。きみがわれわれの生活に適応できるように私が手伝うよ。こんな話をして、傷ついた？」

「傷ついていない」

「じゃあ、本当のことを全部話すね。そうすれば、きみは自分自身のことがわかってくるから」

「話して」

「きみは途方もない能力の持ち主だ。それは疑いようのない事実。そしてきみは1たす1の計算をするように、いとも簡単にあらゆる情報を得ることができる。ところで、きみのあの光線はいつ現われたんだい？」

「すべての人と同じように、それは最初から与えられていた。ただ、私が六歳近くになった頃、私にその光線があること、そしてそれをどう使うのかを曾祖父が教えてくれた」

「ということは、六歳のときから、きみはわれわれの生活に何が起こっているかを見ることができた、そういうことだね？　分析して助けて、遠いところから癒しもして……」

「そう」

「それなら、それからの二十年間、きみは何をしていた？」

「私はずっとそれをあなたに話したり見せたりしてきたわ。私は私のダーチュニク、あなたがたがそう呼ぶ人たちと一緒に働いてきた。彼らを助けようとしてきた」

「この二十年間ずっと？　来る日も来る日も？」

「そうよ、夜中にもときどき。私が疲れすぎていなければ」

「この期間ずっときみは、まるで気のふれた狂信者のように、ダーチュニクと一緒に懸命に働いてきたんだね？　誰がきみにそれを押しつけたんだい？」

「誰も私に押しつけることなどできない。私は自分の意志でやってきた。私にそれを提案したのは曾祖父だけど、私はそれがいいことで、とても大事なことだと気がついた」

「きみの曾おじいさんは、きみのことを可哀想に思って、ダーチュニクと一緒に働くことを提案したんだと思うよ。そもそもきみは両親なしで育ったわけだから。だから、彼は最も簡単で、最も単純な仕事をきみに与えた。そして今は、きみが何かもっとほかのことも理解するようになったので、ダーチュニクを置き去りにして別の仕事をすることを許したんだ」

「でも、その何かほかのことっていうのは、ダーチュニクに関わっていることよ。私は彼らとずっと一緒に働いていく。彼らをとても愛しているし、彼らを置き去りになど決してしない」

「われわれはそういうのを狂信というんだ。きみにはふつうの人間がもっている何かが欠けている。理解しないといけないよ。ダーチュニクは、われわれの社会における最も重要な立場からはかけ離れた存在なんだ。彼らは、社会の進展に何ら影響を及ぼさない人たちだ。ダーチャも菜園もたんなる小さな農園にすぎない。

人々は仕事のあとの休日とか退職後に、くつろぎを求めてダーチャに出かけていく。それだけのことだよ。わかるかい？　それだけのことなんだ。だから、それほどの並外れた知識と能力をもっているきみが、ダーチュニクにかかりっきりでいるということは、何らかの心理学上の障害をもっているということになる。

心理療法士にみてもらったほうがいいと思う。その障害を治すことができれば、きみは本当の意味で社会に役立つ人になる」

「私はなんとしても社会に役立ちたい」

「よし、それなら一緒に行こう。評判のいい民間クリニックの心理療法士のところに連れていってあげる。そこで、自分の口から、地球規模の大災害が起こるかもしれないということを話したらいい。そうすればきみは、環境保護の問題や、その分野の学問においても人々の助けになれるよ」

「私は今のこの場所にいたほうが、もっと社会に役立てると思う」

「わかった。それならきみはここに戻ってきて、もっと深刻な問題に取り組めばいい」

「どういったもっと深刻な問題？」

「きみが自分で判断すると思うよ。たとえば、自然環境の大破壊や、地球規模の大災害を回避するような、そういうことに関係した何かではないかと思う。ところで、きみはそういったことがいつ起こると思っているんだい？」

「すでに地球上のいくつかの地点に不安定な地域がある。人間はこれまでずっと、自らを滅亡に導く準備を、十分すぎるほど、あらゆる手を尽くしてやってきた」

「でも、それはいつ地球規模になるんだい？　いつその大災害は起こる？」

「それはだいたい二〇〇二年頃に起こる可能性がある。でも、一九九二年のときのように、回避されるか、延期されるかもしれない」

「一九九二年に起こっていたかもしれないって言ってるのかい？」

「そう、でも、彼らはそれを遅らせた」

「『彼ら』って誰？　誰がそれを遅らせたんだい？」

「一九九二年の地球規模の大災害は、ダーチュニクのおかげで回避できた」

「何だって？」

「世界中で、それぞれ異なる立場にいる多くの人々が、大災害から地球を守っている。一九九二年の大災害は、主に、ロシアのダーチュニクの働きで発生をくいとめられた」

「そしてきみは……ということは、つまりきみだ！……きみは六歳という年齢で彼らの存在の意味を理解したのかい？　危機を予見していたのかい？　きみはこつこつと働きつづけて彼らを助けた」

「ウラジーミル、私はダーチュニクの重要性を知っていたのよ」

ダーチュニクと全地球の日

「でも、どうしてダーチュニクのおかげなんだい？　そしてよりによってロシアなんだ？　どういう関係があるんだい？」

「あのね、ウラジーミル、地球は大きいけど、とてもとても敏感なの。

あなたも蚊よりずっと大きいけれど、その一匹が皮膚の上に着地しただけで敏感に察知するでしょ。地球もすべてを感知する。自分がコンクリートやアスファルトに閉じ込められるとき、自分の上で生きている森が伐採され燃やされるとき、自分の中に深く穴を掘られて、粉状の化学肥料がまき散らされるとき。

　地球は痛みを感じる。それでも地球は、母が子どもたちを愛するように、人々を愛している。地球は人間のすべての悪意を、地中深く埋めようとする。地球が力を使い果たし、力尽きたときだけ、その悪意は火山の噴火や地震となって爆発する。

私たちは地球を助けないといけない。やさしさと思いやりに満ちた地球への接し方は、地球に力を与える。地球は大きいけれど、本当に敏感で繊細。たったひとりの人の手がやさしく触れただけで、それを感知する。ああ、どれほど地球が、そのやさしい接触を敏感に感じ取り、待ち焦がれていることか！

長い間、ロシアの人々は、大地は万民の財産であり、誰か特定の人のものではないと考えていた。自分のものだと考える人はいなかった。ところがそのロシアで、事態が変わった。政府が小さな地所をダーチャとして人々に分け与えはじめた。

与えられた地所がとても狭くて、大きな機械など使えなかったのは、偶然ではない。地球とのふれあいを切望していたロシアの人々は、お金持ちも貧しい人も一様に、とても喜んでその地所を受け取った。なぜなら、人間と地球とのきずなは深く、それを断ち切れるものは何もないから。

小さな地所を受け取ったあと、人々は直観的にそのきずなを感じはじめていた。何百万という人間の両手が、愛をもって地球に触れた。その小さな地所で人々は、機械ではなく自分たちの両手で、地球にやさしく触れた。

そして地球はこれに気づいた。地球はひとりひとりの人間の手の接触を感知して、そこに、自身が持ちこたえる力を見出した」

「ということは？　地球の救い主として、ダーチュニクひとりひとりの銅像を建てないといけないかい？」

「そう、ウラジーミル、彼らは救い主よ」

「だがね、そんなたくさんの記念碑なんて作らなくていい。世界規模の祝日を作ればいいんだよ。少なくとも一日か二日を休日にして、それを宣言したほうがいい。ダーチュニク・デイとか、全地球の日とか、そういう名前をつけてカレンダーを作るんだ」

「おお！　祝日！」と言ってアナスタシアは手をたたいた。「なんて素晴らしいアイデア！　祝日！　楽しさいっぱいの、喜びに満ちた祝日にすべきだわ」

「我が国の政府や国会議員たちの上に、ちょっときみの光線をあててくれればいいよ。そして彼らに法律を通させてくれれば」

「私が彼らと接触するのは無理だと思う。彼らは毎日、骨の折れる退屈な仕事にかかりっきりでいる。多くの決議事項を抱えていて、ものを感じる時間がまったくない。それに、彼らの意識を高めてもあまり意味がない。

　彼らが現実をまるごと知るのはとても難しいの。彼らには、現行の決議よりも正しい決議を下すことは許されていない」

「誰が政府や大統領にそれを許さないいんだい？」

「あなたたち、一般大衆よ。選挙民の大多数。あなたたちは、正しい決定のことを『不評な法案』と呼ぶ」

「そう、そのとおり。われわれは民主主義にのっとっている。最も重要な決議というのは多数決によってなされる。多数決はつねに正しいんだ」

「ウラジーミル、最も偉大な意識に最初に到達するのはつねに一個人よ。大多数の人々はそのあとになる」

「もしそれが本当なら、なぜ民主主義や国民投票などというものがあるんだい？」

「それは、突然の動揺を防ぐためのショック・アブソーバーとして必要なの。このショック・アブソーバーがうまく機能しないときに、革命が起こる。革命はつねに大多数の人々にとってはきついものよ」

「でも、ダーチュニクのための祝日は革命じゃない。これは悪くないだろう？」

「そういう祝日はいいものよ。それは絶対に必要なもの。できる限り早く決めないといけない。どうやってより早く実現するか考えてみるわ」

「私も手伝うよ。どの手段を使うのがわれわれの生活の中で効果的か、私のほうがよく知っているし。新聞に記事を書こう。そうだ、もっといいのは、きみの本に私がダーチュニクのことを書いて、政府や国会に電報を送るよう読者に頼むんだ。『われわれはあなたがたに、〝ダーチュニクと全地球の日〟を制定することを求める』って。ところで、それをいつにするんだい？」

「七月二十三日」

「どうして二十三日？」

「その日がいちばん適切だから。それと、あなたの誕生日だから。そもそもこの素晴らしいアイデアはあなたが考えついたことでしょ」

「わかった。じゃあ、みんなに送ってもらう電報の電文はこうだ。『七月二十三日を法律で定められた祝日、〝ダーチュニクと全地球の日〟にしてほしい』

政府高官や国会議員がそのメッセージを読み、人々がそれを送ってくる理由について考えはじめる。そのときに、きみの光線を素早く彼らに送り届ければいい」

「そうするわ！　集中してしっかりと、私の光線をどんどん送る！　この祝日は光に満ちあふれた素晴らしいものになる。すべての人にとって！　すべての人が喜び、地球全体が歓喜に満ちあふれる！」

「ところで、どうしてすべての人が喜ぶんだい？　この祝日は、ダーチュニクだけのものだろう？」

「すべての人が喜んで、幸せな気持ちになるようにしないといけない。この祝日はロシアではじまって、世界で最も素晴らしい祝日、魂のための祝日になる」

「ロシアで最初に祝うとき、どんなふうに祝うのかね？　そもそもどうやって祝うのか誰も知らないわけだから」

「その日には、ひとりひとりの心が何をすべきか教えてくれる。でも、おおまかなモデルを今すぐ考えるわ」

彼女は文字の一音一音を正確にはっきりと発音しながら、驚くべきスピードで、ひらめきとともに語った。そのスピーチは、リズムも、文の構造も、発音の仕方も、ふつうとはちがっていた。

「その日、ロシアを夜明けとともに目覚めさせてください。すべての人を、家族と共に、友人と共に、あるいはひとりで、地面にはだしで立たせてください。小さな菜園に自分の手で果実を栽培する人には、菜園の植物に射す、太陽の最初の光線に朝のあいさつをさせ、植物の種類ごとに手を触れさせてください。

太陽が昇ったら、種類ごとにひとつずつ、彼らに果実を食べさせてください。昼食まではそれ以外何も食べる必要はない。昼食まで、彼らに菜園の手入れをさせてください。それぞれに、人生について、そして自分の喜びと目的はどこにあるのかについて、考えさせてください。

大切な家族や友人たちについて、愛情をいっぱい込めながら考えさせ、なぜ自分の植物が育つのかについて考えさせてください。植物ひとつひとつにたいして、目的を与えさせてください。昼食の前に、少なくとも一時間はひとりにさせてください。どこでどのようにするかは自由。必ずひとりになれる場所に行き、少なくとも一時間は自分の内面を見つめさせてください。

昼食には家族全員に集合させてください。一緒に住んでいる家族も、その日のために遠くからやってきた家族も。昼食は、その時間までに地球からとれたもので準備させてください。それぞれがつくテーブルの上に、それぞれの心と魂が望むものを置かせてください。

それから、家族全員に、お互いの目をやさしく見つめさせてください。最年長の人と最年少の人にお祈りを捧げさせ、テーブルの上に穏やかな会話が行き交うようにしてください。お互いについての善なる会話になるように」

アナスタシアは、これらの情景を驚くほど鮮明に描写してみせた。私は自分自身が、人々と席を並べてテーブルについているような感覚になった。すっかり祝日の気分になって、それを信じ、というより、むしろすでに起こっていることのように感じながら、私はつけ加えた。「食事の前にまず乾杯をしないとね。みんなでグラスを掲げて、地球のため、愛のために、ぐっと飲み干すんだ」私はすでにグラスを手にしている気分だった。

そのとき突然アナスタシアが言った。「ウラジーミル、そのテーブルには人を酔わせる毒は置かないで」

グラスは私の手からするりと抜け、すべての祝日の情景がかき消された。

「アナスタシア、ちょっと待って！　祝日を台なしにしないでくれよ！」

「ああ、そうね、もしあなたがそうしたいなら……果実から作ったワインをテーブルに置かせてください。少しずつすするように飲むこと」

「わかった、じゃあ、ワインにすべし、だね。われわれは、そうすぐにはすべての習慣を変えられないからね。それで、食事のあとは何をするんだい？」

「人々を街に帰らせてください。彼らは自分たちの小さな菜園で収穫した果実を、かごに入れて運び、菜園をもたない人々に分け与える。

ああ、その日は、どれだけのポジティブな気持ちが生まれることか！　この気持ちは多くの病を克服し、死に至る病も、何年にもわたる長患いも消えてなくなる。その日には、不治の病にかかっている人にも、ほんの少しだけ病気の人にも、小さな菜園から戻ってくる人々の列に向かって、あいさつをさせてください。

彼らの愛と善意に満ちた光線と、彼らが運んでくる果実は、病気を癒し克服する。見て、見て！　駅よ。色とりどりのかごをもった人々が流れるように出てくる。見て！　彼らの目がどれほど平和と善良さに満ちて輝いているか」

この祝日のアイデアに、次から次へとひらめきを得ていくにつれ、アナスタシアの全身が、光を発して輝いているように見えてきた。彼女の目は、もはやただ喜びに輝いているというより、青い火花を放っているように見える。偉大な祝日の情景が、騒々しく彼女の頭の中を流れているようで、彼女の表情は、一貫して喜びに満たされつつも、刻々と微妙に変化した。

突然、彼女は話をやめた。片ひざを曲げ、右腕を高くあげて、もう一方の足で地面を蹴り、矢のように空中に飛んだ。彼女の飛んだ高さは、シダーのいちばん低い枝ぐらいの高さだった。

彼女は地面に降りて片方の腕を左右に振り、それから手をたたいた。青みがかった輝きが、草地全体に奔流のようにあふれ出てきた。彼女が再び話しはじめたその言葉は、まるで小さな昆虫たちや草の葉や壮麗な杉の木々が、それぞれ口々に繰り返すこだまのように聞こえた。

アナスタシアの語る文章は、何か大きな見えない力によって強化されているような感じがした。

その声は大きくはなかったが、広大な宇宙を流れるすべての鉱脈が、いっせいにそれを聞いている、そんな印象だった。

「その日には、多くの人たちがロシアを訪れる。彼らはみな、地球というテラモン（＊ギリシャ神話に登場する英雄の名。アトラスとも呼ばれ、世界の中心で天空と大地が接触しないように支えているとされる）によって生まれてきた者たち。放蕩息子たちが帰ってくる！　その日は、ロシア中の人々が、日の出とともに起きるようにしてください。

宇宙のハープの弦が、一日中ずっと幸せな旋律《せんりつ》を奏《かな》でるようにしてください。すべての吟遊詩人《バード》が、街角や家々で、ギターをつまびくようにしてください。その日、高齢の人さえも、何年も何年も前の彼のように、若返るようにしてください」

私は自分を抑えられなくなり、彼女のスピーチの途中で言葉をはさんだ。「アナスタシア、私も若くなるのかい？」

「あなたも私も若くなるわ、ウラジーミル。人間が初めて若くなる日だから。年老いた人々は自分の子どもたちに手紙を書き、子どもたちは両親に手紙を書く。赤ちゃんたちには人生最初の一歩を踏み出させ、喜びに満ちた幸せな世界に入っていかせてください。その日、子どもたちの心を傷つけるものは何もない。彼らと大人たちを対等にしてください。

神々が地球に降り立つ。その日、すべての神々が、ひとつのイメージとして現われるようにしてください。そして、神、唯一無二の宇宙神、あなたは幸せに包まれる。その日あなたが、愛と共に、輝かしい地球と共にあって、無上の幸せに包まれますように！」

アナスタシアは自分の描く祝日の情景に、すっかり気を奪われていた。彼女はますます活気づいてきて、ダンスをするように、草地中をくるくる回りはじめた。

「ストップ！　ストップ！」アナスタシアが、この祝日に関するすべてを本気で受け取っていることに突然気がついて、私は彼女に向かって大声で叫んだ。発するひとつひとつの言葉と、その奇妙な文章構成で、アナスタシアは祝日の情景を型どっている、そのことに気がついたのだ。

彼女は特有の執拗さで、自分の夢が現実化するまで、それを型どり、描きつづける人だ。頑固な狂信者のように、自分の夢を描きつづける。ダーチュニクのために、これまでの二十年間をそうしてきたように、この夢を描きつづけていくだろう。私は彼女にそれをやめさせるために叫んだ。

「きみは気づいていなかったのかい？　これはみなジョークなんだよ、この祝日っていうのは！私はふざけていたんだ！」

アナスタシアはふいに立ち止まった。彼女の表情を見た瞬間、私は魂に突き刺さるような痛みを感じた。彼女の顔は混乱した子どものように悲痛だった。まるである種の破壊者でも見るように、痛みと失望とが入り混じった目で私を見つめていた。そして、ほとんどささやくような小さな声で言った。

「ウラジーミル、私はあなたが本気だと思っていた。もう、全部型どってしまったわ。人々が送る電報のことまで、一連の鎖に連結されて編み込まれてしまっている。それがないと、出来事の順序が破壊されてしまう。私はあなたの言ったことを受け入れ、それを信じて創り出した。

私はあなたが祝日と電報について、まじめに話していると感じていた。あなたの言ったことを撤回しないで。あなたの言葉どおり、私の光線で助けられるように、電報のことだけでも私を助けて」

「わかった、やってみるよ。落ち着いて。たぶん誰もそういった電報は送りたくないとは思うけど」

「理解する人たちが出てくる。あなたがたの政府や国会の中にもわかる人たちが現われる。そして祝日は生まれる！　必ず！　見ていて」

再び、祝日の情景が私の脳裏を走った。

今、私はここにこれを記した。あなたの心と魂が命ずるままに行動してほしい。

響きわたるバードの剣

「アナスタシア、どうして、祝日について話すときに、あんなふうに奇妙な文章で話していたんだい？　それと単語も、ひとつひとつの文字の音がはっきりするように、意識して発音していた」

「私は祝日の全体像とそのイメージを、詳細にわたって再現しようとしていた」

「でも、言葉はそれとどういう関係があるんだい？　その意味は？」

「私はひとつひとつの言葉の奥に、たくさんの行事と喜びに満ちた情景を再現した。だから、それらはすべて現実になる。そもそも、思考と言葉は、偉大なる創造主がもつ主要な道具で、体をもった全創造物の中で、人間だけがこの道具を与えられている」

「それじゃあ、どうして、人々が口に出して言うすべてが実現しないんだい？」

「彼らが魂と言葉とを結ぶ糸を切るとき、魂は空《から》になってイメージが消失し、言葉が空になって、ただの音になる。こうした言葉は、何ひとつ未来を創り出すことはない」

「それは、ある種のファンタジーだ。そして、きみは、そのすべてを子どものように信じきっている」

「ウラジーミル、何がいったいファンタジーなの？　もし私が、あなたがたの生活の中から、本来備わっているイメージどおりに発せられた場合の言葉がもつパワーについて、いくつもの例を引き出すことができたら、それでもファンタジーって言える？」

「私が理解できる例をあげてみて」

「例？　わかったわ。ひとりの男が、観客を前に舞台に立って何かを語る場面。たとえば、ひとりの俳優が、人々が何度も耳にしてきた同じ言葉を語る。それでも、人々は、ある俳優が語るときだけ息をひそめて聞き入り、別の俳優のときはそうならない。言葉は同じなのに、そのちがいはとても大きい。あなたはどう思う？　どうしてこういうことが起こると思う？」

「それなりの理由が俳優の側にあるんだ。彼らは俳優養成所で長年修行し、ある者はトップの成績を収め、ある者はまあまあの成績を収める。そこを出たあとは、リハーサルで、表情ゆたかに語れるよう台本のテキストを暗記する」

「彼らは養成所で、言葉の背後にあるイメージに、どのようにして入り込むかを教えられる。そしてリハーサルでそれを再現しようとする。もしある俳優が、自分の発する言葉の背後にある、目には見えないイメージの十パーセントでも表現する術を知っていれば、観衆は強い関心をもって彼の言葉を聞く。

でも、もし彼が自分の発する言葉の五十パーセントに、そのイメージを組み込むことができたら、あなたがたは彼を素晴らしい名優と呼ぶ。なぜなら、彼の魂が観客の魂に直接語りかけるから。人々は、俳優が伝えたいと願うすべてのことを、その魂に感じるとき、泣き、そして、笑う。これが、偉大なる創造主から与えられた、言葉という道具のみごとな技よ」

「でも、きみは……きみが何かを言うときは、どれくらいの言葉にイメージを投入できるんだい？　十パーセント？　それとも五十パーセントくらい？」

「全部よ。曾祖父が教えてくれた」

「全部？　すごい！　すべての言葉に？」

「曾祖父は、すべての文字にそれぞれひとつずつ、イメージを組み込むことができると教えてくれた。それで私は、それぞれの文字の背後に、ひとつのイメージを組み立てていく方法を学んだ」

「どうして文字なんだい？　文字そのものには意味なんてないよ」

「文字はひとつひとつ意味をもっている。たとえば、サンスクリット語は、各々《おのおの》の文字が、その背後に複数の文と言葉を含んでいる。その複数の文と言葉の背後にも、さらに文字が含まれ、その文字の背後にも、さらにもっと多くの言葉が含まれていて、このようにして各々の文字に無限が隠されている」

「それは本当にすごいことだ。それなのにわれわれはこうして、すべての言葉をただ無造作につぶやいている」

「そう、何千年も前から伝わってきた言葉が、頻繁《ひんぱん》にそんな話され方をする。それらの言葉は時間と空間を貫いてやってきていて、背後にある忘れ去られたイメージは、今日までずっと私たち人間の魂に触れることを切望してきた。それらは私たちの魂を守り、魂のために闘う」

「それはどういった言葉？　その中のひとつだけでも私が知っているものはある？」

「あるわ、音として知っていると思う。ше（キリル文字。シェと発音）という言葉。でも、人々はそれが何を表すかを忘れてしまっている」

アナスタシアは目を伏せたまましばらく黙っていた。それから、とても静かな、ほとんどささやくような声で、「ウラジーミル、『バード（bard）』という単語を発音してみて」と言った。

「バード」と私は言った。

彼女は痛みを感じたような、びくっとした顔をした。「ああ、この偉大な言葉を、あなたはなんという無関心と凡庸さで発音するのだろう。ちらちらと消え入りそうなろうそくの炎、時代を超えて運ばれ、おそらく、あなたか、今生きているあなたの遠い親戚に向けて届けられたろうそくの炎に、あなたは今、忘却と空虚という息を吹きかけた。根源なるものを無視することが、今の世の荒廃を招いている」

「私の発音の何が気にいらなかったんだい？　それと、その言葉に関連した何を憶えているべきなんだい？」

　アナスタシアは黙っていた。それから、静かなよく響く声で、久遠《くおん》の世界からやってきたかと思えるような文章を、とうとうと語りはじめた。

「キリスト生誕よりもさらに前のこと。ケルト族として知られる私たちの祖先が、地上に住んでいた。彼らは自分たちを導く教師たちをドルイド僧と呼び、その頃地球上に住んでいた多くの人たちは、物質世界と精神世界双方についてのドルイド僧の叡智を尊んでいた。

　ケルトの戦士たちも、ドルイド僧の前で武器をあらわにすることは決してなかった。ドルイドの初心者レベルに到達するにも、偉大な霊的指導者となっているドルイド僧に個人的について、二十年間は修行しなければならなかった。

　ドルイド僧として出発した者は、『バード』と呼ばれる吟遊詩人になった。彼は人々の中に出ていって歌い、自分の歌をとおして、光と真実とを人々の中に浸透《しんとう》させるという、倫理上の権限をもっていた。彼は魂を癒すイメージを形づくるために自分の言葉を用いて歌った。

　ローマの軍隊がこのケルト族を攻撃した。最後の戦いは川のほとりで繰り広げられた。ローマの兵士たちは、ケルトの戦士たちに交じって髪をほどいて垂らした女性たちが歩いているのを見た。この女性たちがケルトの戦士に交じって歩くとき、ケルト軍を打ち負かすにはケルトの軍勢より数で六倍は勝《まさ》らなければならないことを、ローマ軍のリーダーたちは知っていた。

　当時のローマ軍のリーダーたちは、なぜそうなのかはわかっていなかったし、現代の歴史家たちにも、その理由は解明できていない。ただローマ軍は、髪を垂らした武器をもたない女性たちが戦況に影響を及ぼすことは知っていた。

ローマ軍は、ケルト軍の九倍の軍勢を前進させた。川側に追いつめられて、ケルト族の最後の一族が滅びようとしていた。

彼らは半円を描くようにして立ち、その後ろにひとりの若い女性がいて、小さな赤ん坊に授乳しながら歌を歌っていた。若い母親は、小さな娘の魂に恐怖や悲しみが植えつけられることがないように、彼女が光のイメージをもつように、悲しい歌ではなく明るい歌を歌っていた。

小さな娘が母親の乳首を離すと、二人はじっと見つめ合い、母親は歌うのを中断し、そのたびに娘に『バーダ』とやさしく呼びかけた。

もはや二人を守っていた半円もなくなっていた。剣をもった血まみれの若いバードが、ローマの軍団と授乳中の女性との間にできた狭い通路に立った。彼は女性のほうを振り返り、二人の目は合って、お互いに微笑みを交わした。

バードは傷だらけの身で戦い、女性が川に降りて小さな娘をボートに乗せ、手で押して岸から離れさせるまで、ローマ軍を寄せつけなかった。

血だらけのバードは、最後の意志の力をふりしぼって、もっていた剣を女性の足元に投げた。彼女はさっと剣をつかんで振りあげ、その狭い通路で、四時間とおして休むことなく戦いつづけ、ローマ軍の兵士たちを一歩たりとも川に寄せつけなかった。兵士たちは疲れて、その通路で交代しては戦った。

ローマ軍のリーダーたちは、静まり返って、驚愕のうちに戦闘を見守っていたが、なぜ百戦錬磨の強い兵士たちが、その女性の体にかすり傷ひとつ負わすことさえできないのか、理解に苦しんだ。

彼女は四時間とおして戦い、そのあと燃え尽きた。水一滴も飲んでいなかったため、肺が脱水症状を起こして乾ききり、その美しい唇が裂けて、そこから血が噴き出した。

彼女はゆっくりとひざをつき、崩れるように倒れていったが、その最後の瞬間にもう一度、バーダを、未来を歌う小さな歌姫を、下流へと運んでいったボートの方角に向かって、かすかな微笑みを送ることができた。彼女が救った言葉とその言葉のイメージは、数千年のときを超えて、今日を生きる私たちに運び届けられている。

人間の本質は、肉体のみにあらず。はかり知れないほどもっと壮大で深遠なものは、目に見えない気持ちや切なる望みであり、こうした想いは、物質界に、そのほんの一部が鏡のように写し出されているにすぎない。

小さなバーダは成長して少女となり、やがて大人の女性となり母親となった。彼女は大地に生き、歌を歌った。彼女の歌は人々に光の感情のみを与え、すべてを癒す光線のように、魂の曇りを吹きはらう助けとなった。

多くの現世の困難や欠乏が、この光線の源を消滅させようとした。目に見えない闇の勢力が、その源を撃破しようと襲いかかったけれど、ただひとつの障壁――あの通路に立ちはだかる彼ら――に打ち勝つことはできなかった。

人間の本質は肉体にはないのよ、ウラジーミル。あのバードの血だらけの体は、彼の魂の光からほとばしり出た微笑みを、永遠の世界に向かってとき放った。目に見えない人間の本質が発する光を映し出して。剣を掲げて戦った若い母親の肺は燃え尽き、バードの微笑みを受けとめた彼女の唇の、その裂け目から血が噴き出た。

ウラジーミル、さあ、私の言っていることを信じて。理解して。子孫の魂へと通ずるあの細い通路で、悪意に満ちた闇の剣の猛攻をかわしながらひとり戦うバードの、見えない剣の音が響きわたる音を聞いて。ウラジーミル、どうかもう一度、『バード』と発音してみて」

「できないな。私はまだ、適切な意味を込めてその言葉を言えない。もう少し時間をかければ、必ず言えるようになると思う」

「ありがとう、ウラジーミル、言わないでくれて」

「アナスタシア、きみにはわかるんだから、教えてほしい。あの赤ん坊に授乳していた母親と、その娘、歌手のバーダなんだけど、彼女たちの子孫で、今生きている人は誰なの？　それと狭い通路で戦ったあのバードの戦士の子孫は？　いったい誰がこんな重大なことを忘れられるんだい？　誰がその子孫なんだ？」

「ウラジーミル、なぜそういう疑問が自分の中に生じてきたのか、考えてみて」

「こんなことを忘れてしまっていて、彼らと血がつながっていることを憶えてもおらず、感じてもいない人の顔を見てみたいから」

「きっとあなたは、自分がその忘れてしまっている人間ではないということを確認したいのね？」

「どう向き合うべきなんだろう……。わかった、アナスタシア、答えなくていいよ。ひとりひとりが自分で考えるべきことなんだ」

「そのとおりね」と彼女は答え、黙ってじっと私を見つめた。

私も、アナスタシアが描いてみせた情景の余韻に浸りながら、しばし黙っていたが、ふと口を開いた。「どうしてきみはこの特別な言葉を選んだんだい？」

「現実世界の言葉の背後にあるイメージが、どのようにしてやがて現実化していくかということを、あなたに示すためよ。ロシアにいる現代のバードたちの指が、今、何千本ものギターの弦をかきならし、音色《ねいろ》を奏でようとしている。それに、私がタイガでこれらすべてを夢見たとき、それを最初に感じ取ったのは、彼ら、バードたちだった。彼らの魂が……。

はじめにひとりのバードに火がついて、炎がぱっと燃えあがり、繊細なギターの弦が震えた。すると、ほかのバードたちの魂がそれを感じ取り、呼応した。まもなく多くの人々が彼らの歌を聞くようになる。バードたちは人々が新しい夜明けを見るのを助ける。人々の魂が目覚める夜明け。あなたがたは彼らの歌を聞く。それは新しい歌、夜明けの歌」

方向転換

アナスタシアと三日間を過ごしたあと、私は船に戻った。数日間は会社の仕事が手につく状況ではなかった。それ以降の航路を決めたり、ノヴォシビルスクからの無線電報に答えることすらできなくなっていた。

今回の航行のために新規に雇い入れたスタッフや、正規の乗組員の中にも、私のこの無関心ぶりにいちはやく気づいて、盗みを働く者が出てきた。警備員たちと、船をドック入りさせていたサーガットの街の警察とが協力して、盗んだ者たちを拘留し、報告書をまとめた。だが私は、こうした状況にたいしてすら、きちんと対応する意欲を失っていた。

なぜアナスタシアとの出会いが、こんなにも強力な影響を私に及ぼしたのか、それについては私自身いまだによくわかっていない。

それまで私は、会社を訪れる多種多様な宗派の代表者たちにたびたび会ってきた。彼らは社会のためになることをしたいと言い、いつもきまって私に寄付を依頼した。

私はあるときは、彼らが何をしようとしているのかをとくに把握することもなく、ただ帰ってもらうために彼らに寄付をした。会話がいつも寄付の要請で終わるのなら、それ以上煩《わずら》わされる必要はないからだ。

アナスタシアは、こうしたすべての、いわゆる「宗教的な」人々とちがって、お金を要求しなかった。それどころか、彼女に何かものをあげるにしても、いったい何をあげたらいいのか、私にはまったく見当がつかなかった。彼女は外から見れば何ももっていないようだが、すべてをもっているという印象だった。私は船をまっすぐノヴォシビルスクに向かわせるよう指示したあと、船室に閉じこもり、長い間、真剣に考えぬいた。

十年以上もの間ビジネス界にあって、共同体の指揮をとってきた経験は、私に多くのことを教えてくれた。その間とおってきた山あり谷ありの道は、遭遇する多くの異なる状況にたいして、解決策を見出す私の能力を高めてくれていた。だが今回は、いまだかつてなかったほどの最悪の状況だ。私のすべての不運が同時に重なり合い、ぶつかり合っている。私の会社の倒産は避けられない状況のようだった。

会社におけるいわゆる私の「支持者」のひとりが、すでに噂を流しはじめていて、その噂は広まる一方だった。「何かが彼に起こったようだ。彼はもはや経営上の決裁を効果的に下す能力を失っている」という内容だ。それはすなわち、「できるなら自分で自分の身を守れ」ということにほかならない。そして彼らはそのように行動した。会社に戻ってすぐ、私は彼らがいかにして自分の身を守ったかを見せつけられた。公然と行なわれていた会社所有の財産の横領には、私の親戚までもが加わっていた。「どっちにしろ、倒産するんだ」と彼らなりの理屈を立てて。

影響力のない年配の従業員たちの小グループだけが、倒産を避けるべく奮闘していたが、彼らもまた、船が戻って、私が読みはじめていた書籍や文献の類を見たときに、私の精神状態に恐れをなし、おびえていた。

私をとりまく状況のこうした展開について、私自身はきわめて冷静に受け止めていた。こういう人々と一緒に状況を立て直していくのはもはや不可能であることを、私は十分すぎるほど理解し悟ったのだった。かつては私の言葉のひとつひとつに耳を傾けていた人たちでさえ、今後は、私が下すいかなる決定にも疑いをもつにちがいないのだ。

私はアナスタシアのことを誰かに話したくてたまらなかったが、誰ひとり理解してくれそうになかった。誰かに話せば、私の行きつく先は精神病院だ。実際、私の家族は私をどう治療するかについての話し合いをはじめていた。

私の周囲は、成功の見込まれる事業計画を出すよう、私にそれとなく要求してきた。何かに熱中している私の状況は、狂気か神経衰弱とみなされていたのだ。だが、当の私は、われわれの人生について、まったく異なったことを考えはじめていた。

「いったい何が起こっているのだろう」と私は考えた。「営業活動をして収入を得る。だが、そこで満足は得られない。すぐにもっと欲しくなる。こうして十年以上もそれを繰り返してきた。このがむしゃらな出世争いが死ぬまで続いたり、本当の満足が得られないまま終わったりすることは決してないと、保証してくれるものがどこにあるだろう？

ある人は、ウォッカを一本買うための一ルーブルがないことに心を乱すが、億万長者は、新しい何かを獲得するのに十億では足らないことに心を乱す。おそらく、所有している金額の大きさが問題ではないのだ」

ある朝、大手商社の重役をしている古くからの起業家仲間が二人、私のオフィスを訪ねてきた。私はさっそく彼らと、純粋な意図と目的とをもった起業家協会について、話し合いをはじめた。私はこの計画のすべてを、誰かと分かち合いたかったのだ。

二人とも上手に話を続けながら、ところどころうなずいていた。三人でだいぶ長く話し込んだ。私はすでに、彼らは本当にすべてをわかってくれたのだろうかと思いはじめていた。あまりに長時間を会話に費やしていたからだ。

彼らが帰ったあと、私のドライバーが言った。「ウラジーミル・ニコラエヴィチ、彼らはあなたの健康状態を心配する人たちに頼まれて、やってきたのですよ。あなたが四六時中いったい何を考えているのか、何があなたを悩ませているのか、それを探り出したかったのです。手短かに言えば、あなたの頭が狂っているのか、そうでないのかを見極めたかったのですよ。医者を呼ぶべきか、時が過ぎるのを待つべきか」

「それで、きみは私のことをどう思うんだね？」

少しの間、彼は黙っていたが、静かに話しはじめた。

「あなたは十年間、本当によく働かれました。この町の多くの人たちが、あなたは偉大な成功者だと思っています。ですが、今はこの会社の誰もが、自分たちは給料もまったくもらえずに取り残されてしまうのではないかと心配しています」

私についての人々の心配がどこまで広がっているのか、それに気づかされたのはそのときだった。私はドライバーに、「引き返してくれ」と言った。

私は会社に戻り、緊急会議を開いた。分野ごとに管理職を任命し、私の留守中の決定権を彼らに全面的に与えた。ドライバーには翌朝早く私を迎えに来て空港まで送ってくれるよう頼んだ。

明くる朝空港で、彼は包みをさし出した。温かかったので、「これは何だい？」と私はたずねた。

「ピロシキです」

「きみは、気が狂ってしまった私を可哀想に思って、ピロシキをくれるのかい？」

「妻からなんですよ、ウラジーミル・ニコラエヴィチ。彼女は一睡もせず、ひと晩中かかってこれを作りました。彼女はまだ若くて、今までこういうものを焼いたことはないのですが、急に思い立ったんです。あなたに渡してくれとしつこく言われました。タオルに包んでくれたので、まだ温かいです。彼女はあなたがしばらくは帰ってこないだろうと言っています。かりにあなたが帰ってくるとしても……ここでお別れです」

「わかった、ありがとう」

数日後、彼は会社を辞めた。

飛行機の座席に座り、目を閉じた。モスクワへの直行便だったが、私はこれからの自分の人生の航路はまだ決めかねていた。

モスクワのヴヌーコヴォ空港に到着したときに初めて気がついた。財布の中に入っているのは、この首都で質素に暮らして、やっと十日間をやり過ごせる程度のお金だった。

会社の従業員も私の家族も、ふくれあがった借金を返済することは不可能で、彼らが会社の資産を売らなければならなくなるのは目に見えていた。したがって私の家からの支援はまったく期待できる状況ではなかった。

もちろん、もし私がノヴォシビルスクにとどまっていれば、自分で事態を立て直すことはできただろう。だが、それは私が会社の日常業務に集中することを意味し、あのタイガでの出来事のあと、そしてアナスタシアとの、あるいは自分自身との約束のあとで、どうすれば仕事に専念できるか、私にはまったく先が見えなかったのだ。

私をこの行動に駆り立てたのが、アナスタシアなのか私自身の意識と願望なのか、今でもはっきりしていない。

私は自分が破産状態にあることは知っていた。このような状況に置かれた場合、親戚や友人たちや以前の仕事仲間に頼っても無駄だということは、起業家仲間たちの多くの例を見てきてわかっていた。誰もがあなたを厄介者扱いするのだ。

十年間は勝てても、そのあと、ある失敗――たった一回の失敗――をして、あなたは周囲から軽蔑され無視される。これは多くの、名の知れた起業家に起こっていることだ。

こうした状況においては、あなたは自分だけを頼りに、見たところ絶望的な状況にたいする解決策を見つけ出さなければならない。

セーター一枚とシャツが二～三枚、それにいくつかの小物を入れたスーツケースをホテルに置いて、私はモスクワの街を散策してみようと外へ出た。歩きながら、ロシアの起業家についてアナスタシアが言っていたことの意味を深く考えようとした。

「共同組合員と起業家のためのロシア連盟」を訪ねてみた。この連盟は、ウラジーミル・アレクサンドロヴィチ・チーホノフが責任者を務めていたもので、彼は農業科学レーニン・アカデミーの会員であり、ペレストロイカ初期の頃、われわれが選挙で選んだ人だった。連盟の理事会が置かれた建物はまだそこに建っていたが、多くの事務所は空き室になっていた。

ウラジーミル・アレクサンドロヴィチは、その一年半ほど前に亡くなっていた。六カ月前には、ロシア・ビジネス円卓会議の議長、イワン・キヴィリジとその秘書が毒殺されたということも聞かされた。連盟の会員数は激減していた。

連盟事務所に残っていた三人のうちのひとりが私を知っていて、私の要望を聞いて、使っていないオフィスと、電話二台、コンピュータ一台、ファックス一台をくれた。連盟には組織活動を援助する資金的余裕はなかったので、私はひとりで活動しなければならなかった。

私は時間とホテル代を節約するために、そのオフィスに寝泊まりした。朝の六時にやってくる清掃係が目覚まし代わりだった。テレビがなかったので、夜中まで目いっぱい働くことができた。

あの心地よい船室（呼び鈴を鳴らせば、飲みたいもの食べたいもの何でも運んでもらえた）から、生活用品は何ひとつ備えつけられていない事務所へと環境は激変したが、それは私にとってまったく問題ではなく、むしろ仕事にたいするより大きなチャンスを生み出してくれていた。

私は考えに考えて、起業家協会の規約を作成し、その趣旨についてアピールする手紙を書き、会社同士の連絡で通信システムが混雑していない朝の時間帯に、それをファックスで流した。

さまざまな手段――たとえば新聞紙上での呼びかけや偶然の出会いなど――を利用して、私はモスクワに住む多種多様な職業の人々を集めて事務局を立ちあげた。差し迫った、新しいロシア起業家協会設立の意義を理解してくれた人たちだ。

事務局スタッフの中には、モスクワの学生も含まれていた。最初にやってきたのは、壊れたコンピュータを直しにきてくれたアントン・ニコライキンだった。そのあと、彼は、起業家協会の組織活動について知って、友人を二人連れてきた。アルチョム・セミョーノフとアレクセイ・ノヴィコフだ。

彼らは『ロシア・ゴールド・カタログ』の電子版制作にとりかかり、高度に専門的なプログラムを作成することができた。

ロシア起業家協会

起業家協会の理念は、ロシア市場で少なくとも一年は活動した経験をもち、起業家同士のみならず、顧客との間、従業員との間にも誠実な関係を築くことに心から関心をもつ起業家にたいして開かれたものだった。

いくつかの公共団体の代表者たちは、今の起業家たちはいかなる種類の協会組織にたいしても消極的で、かつての彼らの信念に満ちた高揚感はすでに過ぎ去り、ただ安い会費を払うだけで参加できるような種々の協会組織もみな壊滅的に崩壊しつつあると、私に説いて聞かせた。

だから起業家本人と企業それ自体の双方に、会員資格として高い要求を突きつけるような協会を組織するのはあまりにもばかげていると、彼らはなんとか証明しようとしたのだ。

問題は、協会の組織や原則や構成についての情報を、地方在住の起業家たちにまで届くようにするには、印刷代と郵送費に約五億ルーブルかかる——受け取られた資料のたった十パーセントしか積極的な回答を得られないのに——ということだった。

そんな資金はどこにもなかった。連盟の指導部は、受け取った会費の一部を事務所の室料にあてた。それ以外に連盟に入ってくる資金はなかったのだ。

この計画の難しさを見てとった連盟は、起業家たちからの資金は協会の組織化のために寄せられたものであるにもかかわらず、協会組織化にかかる費用の支払いをまったくしなくなっていた。

連盟指導部は起業家たちからの資金を、連盟運営の諸経費に充《あ》てざるをえなくなっていて、協会の事務所で働く人々にたいする賃金の支払いも遅れはじめた。私は連盟を離れなければならなくなった。二台目のコンピュータを置いて、私は連盟を出た。このコンピュータは、趣旨に賛同して入会した起業家たちからの基金で購入したものだった。

「こんなことがありうるのかい？」ほとんど自腹を切って、いくつかのコンピュータ・プログラムを作り終えた学生たちは当惑して言った。「われわれは連盟の綱領が遂行すると謳《うた》っている仕事をしている。それなのに、彼らはわれわれを間借り人のように扱い、起業家たちを見捨てた」

連盟にはそれなりの言い分があった。「事務所の家賃は払わないわけにはいかないのだから」というのだ。私は、事務所のスタッフに支払ったあとに残ったもので、起業家労働組合からの仕事を続けようとしたが、そこでも結局同じ問題に突きあたった。

そのあと、いくつかほかの公共の機関についても調査してみたが、それらの組織すべてが名前だけのもので会員はいないという実態に、私は初めて気がついた。それはまるで民間のクラブのようで、自分たち内部での必要事項にしか関心がないようだった。

この頃のロシアには、相当数の起業家をまとめる大きな公共の組織は存在せず、あったのは民間のクラブのようなものだけだった。その理由は何なのか？　私は何よりも、会員の没個性化、すなわち会費を払った会員の顔が見えないという問題について考えさせられた。

それぞれの組織は、設立されたあと、何らかの理由で、会員たちの意見を聞かないまま起業家たちの名において行動するようになっていた。

私は起業家労働組合を離れ、最後には、あらゆるコミュニケーションの手段も、生き残るためのわずかなお金さえも失った。

賃金を支払うという約束のもと、事務所で働いてくれていた地元モスクワの人たちも辞めることを余儀なくされた。

私はたったひとりだった。というより、ひとりだと思っていたと言ったほうがいいかもしれない。だが、三人のモスクワの学生、アントンとアルチョムとリョーシャには、自分たちがやりはじめたことを放り出す気はまったくないようだった。アントンは、休暇のために貯めてきたお金で、私のアパートの家賃を払ってくれた。

彼らは、今陥っている苦境にたいする解決策を私が見出すのをじっと待ちながら、協会を組織するという自分たちの仕事を続けた。彼らはその理念自体に情熱を燃やし、それを信じていたのだ。だがそのときの私に見えていたのは、ただ八方ふさがりの、目前に立ちはだかる壁だけだった。そんなとき、ノヴォシビルスクからの知らせが飛び込んできた。

自殺に向かって

ある晩、ノヴォシビルスクから仕事でモスクワに来たという人が私を訪ねてきた。ウォッカ一本とスナック持参でやってきた彼は、私が借りていたワンルームのアパートのキッチンに座り、私の家族と会社の状況について話しはじめた。

いずれも悲惨な状況だった。会社は商業地区にあった事務所のひとつを、家賃が払えないためやむなく手放していた。

車の部品販売会社は店じまいをしていた。従業員たちは靴の販売に切り替えようとしたが、残ったのはさらなる借金だけだった。すべての責任は私にあった。

「そしてあなたはここにいて、何だか誰も知らないことをやっている。多くの人が、あなたは気が狂ったのだと思っています。あなたはまず会社での自分の責任をきちんと片づけてから、この不可解きわまりない仕事にとりかかるべきだったんです。もはや誰ひとりとしてあなたを信じてはいません」

ウォッカの瓶が空になる頃、彼は私に聞いてきた。「みんなが今あなたに何を期待しているか、それについて私が思うことを、ここで正直に言ってほしいですか？」

「どうぞ言ってください」と私は答えた。

「彼らはあなたが自殺するなり何なりして、自分たちの前から永遠に姿を消してほしいと思っています。ご自分で判断してください。今のあなたには操業開始のための資本金などないのだから、どんなビジネスもはじめられない。それどころか、食べるものにもこと欠いている。そのうえ、あなたの借金は山積みになっています。こういう状態から自力で抜け出した人の例は、世界中どこを探してもありません。

でも、あなたがいなくなってしまえば、あなたの死によってすべての借金が回収不能とみなされ、帳消しになって、あなたの残した資産をみんなで分けることができます。あなたの奥さんは、あなたはしし座生まれで、これまでずっと贅沢《ぜいたく》な生活をしてきたが、星占いによると貧困の中で死ぬことになっていると言っています。あなたはどうしてあの二回目の遠征に出かけたのですか？　誰もがそれを疑問に思っているんです」

二人とも相当飲んでいたことはたしかだが、翌朝目覚めたとき、私は彼との会話を詳細にわたって憶えていた。彼の論理は強烈で説得力があった。

ノヴォシビルスクで行きづまり、ここモスクワでも行きづまり……。どこでも、私と一緒に働いてきた人々はみな苦しんでいた。私の家族も苦しんでいた。

解決策はどこにもなく、何もかもが私の処理能力を超えていた。私の死だけが、これらのすべての苦しみに終止符を打つことができる。もちろん自殺は悪いことだ。だが、事実の必然性によれば、私の自殺はほかの人々の生活を楽にする。もしそれが本当なら、私の自殺は正当なものとなり、私に生きる権利はなくなる。

こうして私は自殺を決意した。決意してみると、心やすらかになった。今のこの状況から抜け出す道を探すという苦痛に満ちた作業は、死がその出口であることに私自身が同意できた今、もはや必要なくなったからだ。

私はアパートの部屋をざっと掃除して、家主あてに、もう戻らないというメモを書いた。そのあと、協会関連の書類を整理するために労働組合事務局に行こうと決めた。あとになって、おそらく誰かがこの仕事を続けてくれるだろうという思いだった。ところで、毒薬を買う金もないというのに、どうやって自殺をすればいいのだろう？

そのとき、自殺には見えないように、泳ごうとしていたように見せかけるという考えが浮かんだ。そうだ、セイウチのように跳び込んで溺《おぼ》れればいいのだ。私は出発した。ところが地下鉄のプシキンスカヤ駅の近くまできたとき、聞き覚えのあるメロディが突然私の耳に飛び込んできた。駅の連絡通路で、二人の若い女性がバイオリンを弾いていたのだ。

二人の前には箱が開いて置いてあって、人々はそこにコインを投げ入れていた。多くの地下鉄の通路で、ミュージシャンがこんなふうにしてお金を稼いでいる。だが、この二人の若い女性とバイオリンと、地下鉄の轟音《ごうおん》や通路の騒音に交じって流れてくるメロディは、多くの人々の足を止めていた。

私はその場にくぎづけになった。彼女たちのバイオリンの弓は、アナスタシアがタイガで歌ったメロディを奏でていたのだ。

タイガでアナスタシアに、私が知っている歌ではなく、何か彼女のオリジナルの曲を歌ってほしいと頼んだときに、彼女はこの、ふうがわりで不思議な雰囲気の、歌詞のない、なんとも美しい歌を歌ったのだった。あのとき、アナスタシアは生まれたばかりの赤ん坊の泣き声のような声で歌いはじめたが、しだいにやわらかく静かな、やさしい声に変わっていった。

木の下に立ち、両手を胸にあてて歌う彼女のその声は、小さな赤ん坊をやさしくなでてあやし、何かを語りかけているようだった。その驚くほど穏やかな声に、まわりのすべてのものが静まりかえり、聞き入っていた。

それから、アナスタシアの声は、目覚めた赤ん坊を見て歓喜にあふれたように意気揚々と高まっていった。信じがたいほど高い声が、はじめやわらかくただよい、転調したあと、さらに高く舞いあがって、まわりのすべてを喜びで包みながら、無限の空間に吸い込まれていった。

私はその若い女性たちに聞いてみた。「何の曲を演奏していたの?」

二人は互いに顔を見合わせ、そのうちのひとりが、「即興で弾いていました」と答え、もうひとりが、「私は彼女に合わせて弾きました」と言った。

ここモスクワに出てきて、起業家協会を作ることが人生における主要な歩みになったと思っていた私は、その考えにあまりにもとらわれすぎていて、アナスタシアのことをほとんど考えていなかった。そして今、私の人生最後の日に、まるでさよならを言いに来たかのように、アナスタシアは私に彼女のことを思い出させた。

「さっき弾いていたあの曲、ぜひ、もう少し聞かせてほしいのだが」と私は少女たちに頼んでみた。

「やってみます」と年上らしいほうの少女が答えた。

私は地下鉄の通路に立ち、バイオリンの心ふるわすメロディを聴きながら、タイガの草地を思い出して、心の中で叫んだ。「アナスタシア！　アナスタシア！　きみが考えたことを現実世界で実行するのはあまりに難しくて不可能だ。

夢に描くことと、その夢を現実化することはまったく別なんだ。きみはきみの計画を組み立てる途中で何かをまちがった。起業家協会を組織して、本を書いて……」

このとき、私は電気ショックを受けたような感覚に襲われた。これらの言葉を何度も自分の中で繰り返すうちに、ふと、その言葉の何かがおかしい、何かがこわれていると感じたのだ。あそこで……タイガで……タイガで……アナスタシアは、これとは少しちがった言い方をしていた。

――だが、どういうふうにちがっていたのか？

言葉を入れかえたりするうちに、私ははっと気がついた。「本を書いて、起業家の協会を組織する」

なんということだ！　まず本を先に書くべきだったのだ！　その本は私がかかえるすべての問題を解決し、何よりも、起業家協会についての情報を広めてくれるということだった。あまりにも多くの時間をむだにしてしまった。おまけに、私の私生活は今、とんでもなく混み入ったことになっている。だが、かまわない！　行動しよう。

今や少なくとも、どう行動すべきかがはっきりした。もちろん、本の書き方を知らない人間が人々に読ませる本を書くというのはありそうにない話だが、アナスタシアはそれが現実になると信じたのだ。彼女はずっとこのことを私に言いつづけ、納得させようとした。よし、わかった。私はやらないといけない。やるべきだ。最後までやり抜くべきなんだ。

私はアパートに戻った。モスクワの街はすでに春に包まれていた。アパートのキッチンにはヒマワリのオイルが瓶に半分と砂糖が少し残っていた。私はパントリーに食糧を詰める必要があったので、ミンクの帽子を売ることにした。まがいものではなく、ほんものの毛皮で、かなり高価なものだ。

もちろん、ミンクの帽子の季節はとうに過ぎていたが、それでもいくらかにはなるだろう。モスクワには市場がたくさんあるが、私はそのうちのひとつに行き、果物やその他さまざまな品を販売している人たちに交渉した。

彼らは帽子を見たが、すぐ買うとは言わなかった。私が値段を下げようと決めたちょうどそのとき、二人の男が近づいてきた。彼らは帽子をぐるぐる回して毛皮に触ってみたりしていたが、ひとりが、「ちょっとかぶってみよう。誰かから鏡を借りてこいよ」と、もうひとりに言い、店主と私には、ちょっと脇によけていてくれと言った。店主と私は露店が並んだ端のほうの少し離れた場所で彼の仲間が鏡をもってくるのを待ったが、長く待つ必要はなかった。

彼は後ろからそっとやってきて、私の後頭部に鋭い一撃をくらわした。目から火が出て、まわりのものがぼんやりとかすんできたが、私はフェンスに背中をもたれさせてふんばり、かろうじて倒れずにすんだ。気をとりなおしたときには彼らの姿はなく、私の帽子も消えていた。二人の女性が心配そうに言った。「大丈夫？　とんでもない悪党たちね。あなた、ここに箱があるから少しお座りなさいな」

私はそのままフェンスのそばにしばらく立っていたが、それからのろのろと市場をあとにした。街には春の霧雨が降っていた。道を横切るために左右を見ようとして、歩道の縁石《えんせき》のところで立ち止まった。頭ががんがん割れるように痛かった。

周囲に注意を払っていなかったので、すぐそばを通った車が私のズボンとジャケットのへりに泥水を浴びせて走り去った。あたふたしてその場から動けずにいると、再び泥水が、今度は顔にまでビシャッと飛んできた。同じ水たまりをトラックのタイヤが通って行ったのだ。

私は縁石からひき返し、キオスクの日よけの下で雨宿りしながら、この先の行動を決めようとした。

こんな恰好《かっこう》では、当然、地下鉄には乗せてもらえない。借りていたアパートまでは三駅だから歩けない距離ではないが、こんな恰好で歩けば、酔っ払いか浮浪者か不審者として、警察官が私を捕えるかもしれない。ならば、彼らが取り調べをする間、しゃべりまくってわが身の潔白を証明すればいいじゃないか。だが、いずれにせよ、彼らに何と言う？　今の私はいったい誰なんだ？

ちょうどそのとき、私はこの男を見たのだ。彼は空き瓶の入った箱を二つ抱え、ゆっくりと歩いてきた。露店の周りを、酒を注ぎながらうろうろするホームレスの酔っ払いのような雰囲気だ。私と目が合って彼は立ち止まり、アスファルトの上に箱を置いて話しかけてきた。

「そこに立って何を見てるんだい？　ここはおれのテリトリーだ。出て行ってくれ」と、静かだが、命令するような口調で言った。

けんかや口論はしたくなかったし、そんな気力もなかったので、私は答えた。「あんたのテリトリーなどに用はない。少しぶらぶらしてすぐ行くよ」

だが、彼は会話を続けた。

「どこに行くんだい？」

「どこに行こうとあんたには関係ない。すぐ行く、それだけだ」

「だが、なんとかなるのかい？」

「当然だ、邪魔が入りさえしなければ。ほっといてくれ」

「そんな恰好じゃ、どこにも長くは立てないし、歩けもしない」

「あんたに関係ないだろ？」

「ホームレスかい？」

「何だって？」

「ああ、新入りか。わかった、そんなら、ここで休めるさ」

彼は箱をもちあげ、どこかに歩み去ったが、包みのようなものをひとつもって戻ってきて、また話しかけてきた。

「ついてこいよ」

「どこに行くんだ？」

「ここ数時間か明日の朝まで、あんたはおれのゲストだ。ぬれたものを乾かせよ。そうしてから自分の道を行けばいいさ」

彼のあとについて行きながら、私は聞いた。「あんたのアパートは遠いのかい？」

彼は振り返らずに答えた。

「アパートに着く前にあんたは死んでるよ。おれのアパートはここにはないんだ。おれはここに配置されている人間だ」

二人はアパートの地階に通じるドアの前に着いた。私にドアの片側に立っているように言って、彼は周りを見回し、アパートの住人が近くにいないところを見はからって、カギに似た形の何かで錠を開けた。

地下は外より暖かかった。温水パイプの断熱材が意図的にはがされていて、その熱が周りを暖めているのだ。おそらくホームレスの人たちがひきはがしたのだろう。隅のほうにぼろ布が積み重なっている。

そのぼろ布の山を、ほの暗い明かりがぼんやりと照らし出している。地下階のほこりだらけのガラス窓から射し込んでくる明かりだ。われわれ二人はそこを過ぎて、もっと奥の、空いている隅のほうに進んだ。

彼は包みの中から水の入った瓶を取り出し、ふたを開け、口に水を含んで、噴霧器のように周り一帯に吹きかけた。

「ほこりが舞わないようにするためさ」と説明してから、隅に立てかけてあった板を横にずらした。建物の壁とこの仕切り板の間にできていたすき間から、大きなビニールに包まれたベニヤ板二枚を取り出し、さらに、同じくビニールに包まれた何枚かの段ボールを取り出した。彼はこれらを用いて、床の上に二つの即席ベッドをこしらえた。

次に彼は隅のほうからブリキの缶を取り出し、その中に立ててあったろうそくに火をつけた。半分まで開けられた缶のふたは清潔で、半円形のまま少し曲げられていて、反射鏡のような働きをしていた。

このシンプルな照明器具が、二枚のベニヤ板の端とその間にできた狭いスペースを照らし出した。彼は新聞紙を広げ、包みの中から、チーズひと切れとパンとケフィア二箱を取り出し、チーズをきちんと切りながら言った。「まだ立っているのかい？　座れよ。ジャケットを脱いで、温水パイプにかけといたらいい。乾いてから泥を落とせる。ブラシがあるし。ズボンははいたまま乾かせばいい。あまりしわくちゃにならんようにな」

彼はさらに、まだ開けていない百グラム入りカップのウォッカを取り出した。こうして二人はそこに座って食事をはじめた。地下階のほこりがあたり一面にただよっていたが、彼が整えたその一角はきわめて清潔で居心地がよかった。

二人でカップをカチンと鳴らすと、彼は自己紹介をした。

「イワンと呼んでくれ。ここでは名字は免除なんだ」

即席ベッドと、新聞紙の上にきちんと並べられた食べ物。彼が整えたそれは、地下階の汚れた床の上でありながら、彼だけのコーナーに清潔感とやすらぎに満ちた空間を生み出していた。

「何か寝るときに敷く、もう少しやわらかいものはあるのかい？」夕食の後、私は聞いてみた。

「ここにぼろ布は置いとけないんだ。すぐ汚れて異臭を放つ。あそこの隅はおとなりさんが……二人してときどきやってくるんだが、彼らはあのぼろ布で不潔な豚小屋を創り出すんだ」

彼と話をしながら質問に答えたりしているうちに、私はとくに意識することもなく、アナスタシアとの出会いと彼女の生き方とその能力について、彼に話してしまっていた。彼女の光線、彼女の夢、彼女の切なる望みについても。

彼は私がアナスタシアについて話をした最初の人だった！　私がなぜ彼に、アナスタシアのふつうとちがうところや、彼女が描いた夢のことや、さらには、私が彼女を助けると約束するに至ったいきさつまでも話してしまったのか、それは私自身にさえよくわかっていない。私は純粋な意図をもった起業家協会を組織しようとがんばったが、そこで重大なミスを犯していた。私はまず先に本を書くべきだったのだ。

「私は本を書き、それを出版する。アナスタシアは最初に本を書くことが必要だと言ったんだ」

「本を書いて、そのうえそれを出版することなど本当にできるのかい？　一銭もないのに」

「できるかどうか自分でもわからない。ただ、そういう方向で行動しようと思っている」

「ゴールがあってそれに向かって突き進むってことか？」

「そのとおり」

「それで、ゴールに到達できると確信してるのかい？」

「とにかくやってみる」

「そうか……本か……。じゃあ、カバーをデザインするアーティストが必要だな。その本の趣旨と目的に寄り添った魂をもってデザインする人。金がないのにどこでそんなアーティストを見つけるつもりだ？」

「アーティストなしで、というか、デザインなしでなんとかするしかないさ」

「いや、これはデザインしてきちんとやるべきだよ。正確にあんたの意図に沿ったものをね。紙と絵筆と質のいい絵の具さえあれば、あんたを助けてあげられるんだが。最近はこういうものはめっぽう高くて」

「あんたはアーティストなのか？　プロの？」

「おれは将校。子どもの頃から絵を描くのが好きで、いろんな絵画クラブに入っていた。大人になってからは、なんとかして時間を作っては絵を描いて、友人たちにあげていた」

「いつも絵を描いていたかったのに、どうして将校になったんだい？」

「おれの曾祖父が将校で、祖父も父も将校だった。おれは父親を愛していたし尊敬していた。彼がどういう私を見たいのかを知っていたし、感じていたから、おれは彼の願う自分になろうと思った。連隊長までいけたよ」

「どこの勤務？」

「主にKGBさ。そこをやめたんだ」

「人員削減ていうやつか、クビになったのか？」

「自分からやめたんだよ。耐えられなかった」

「何が耐えられなかったんだい？」

「ほら、こういう歌がある。歌詞はこうだ。オフィサー、オフィサー、照準器をとおして見られている、あなたがたの心臓が」

「誰かがあんたを殺そうとしたのか？　命をねらった？　何かの仕返しであんたを撃ったのかい？」

「将校たちはしょっちゅう撃たれる。だが、彼らはいつだって、後ろにいる者たちを守るために、飛んでくる銃弾に立ち向かってきたんだ。自分の心臓に後ろから照準をあてられて、背後から銃口が火を噴くなんて夢にも思わずにな。だが銃弾は炸裂する。心臓めがけて正確に、まっすぐに」

「どういうこと？」

「ペレストロイカ以前の頃のことを憶えているかい？　五月一日とか十一月七日とかの祝日には、おびただしい人々が行列をなして、『万歳！』『神に感謝！』『長生きを！』などと叫んでいた。

私もほかの将校たちも、ＫＧＢ所属の者に限らず、自分たちがこういう人々の盾《たて》になっていることを誇りに思っていた。われわれは彼らを守っていた。それが大多数の将校たちにとっての人生の意味だった。

だが、ペレストロイカ（＊ソ連のゴルバチョフ政権下における、政治・経済・社会その他の領域における改革）とグラスノスチ（＊ペレストロイカのもとに押し進められた情報公開政策）の波がおしよせてくると、人々はこれとはちがったことを叫びはじめた。われわれのようなＫＧＢの将校はろくでなしの暗殺者ということになった。われわれはまちがった人々とまちがったシステムを守ってきたというのだ。赤旗のもとに列をなして行進していた人々は、別の行列を作り、別の旗を掲げて行進をはじめ、すべての責任はわれわれにあると断罪した。

おれには妻がいる。九歳年下で美人で……彼女を愛していた……今も愛している。彼女はおれを誇りにしていた。妻との間に、息子がひとりいた。遅くできた子どもだが、今十七歳だ。彼もはじめはおれを誇りに思い、尊敬してくれていた。

ところが、こういう状況が生まれはじめた頃から、妻はよそよそしくなって、おれの目を見なくなった。おれのことを恥じていたんだ。おれはバッジを返し、市中銀行の警備員の仕事についた。ＫＧＢの制服は極力目につかないところに隠した。だが、妻と息子の口に出さない疑念は、四六時中、家の中に重く垂れこめていた。

口に出してくれない疑念や質問に答えることはできない。妻と息子はその答えを新聞やテレビの画面に見ていた。どうやらわれわれ将校は、自分のダーチャと民衆への抑圧にしか関心のない人間たちということにされているようだった」

「だが実際、軍の指導者たちの優雅なダーチャが、編集されずにそのままテレビに映し出されていたよ」

「たしかにそうだ、ありのままのダーチャさ。だが、あんなダーチャはわれわれを非難する人々の多くが今所有しているダーチャにくらべたら、鶏小屋みたいなもんだよ。

あんたは向こうに船をもっていたし、軍の大将のダーチャなんかよりずっと多くのものをもっていたんだよ。だがな、彼は大将になるまでに、まず士官学校に行き、塹壕《ざんごう》を掘り、それから少尉になって、兵舎から兵舎へと移動する日々を過ごしたんだ。

彼だって子どもたちのためにダーチャや家をほしいと思った。ふつうの人と同じようにね。そんな彼が、みんなと同じダーチャの温かなベッドから真夜中に飛び出して、結局戦場に身を置くことになった夜がいったいどのくらいあったか、それを誰が知っている？　そんなことは誰も知らないんだ。

ロシアは将校たちを大切にしてきた。彼らにそれ相当の地所を与えていたんだ。だが今は、千五百平方メートルのダーチャは大将には広すぎると彼らは決めてしまった」

「誰でも昔は今とはちがう暮らしをしていた」

「そうだ、誰もがちがう暮らしだった。だが、ほかの何よりも誰よりも、彼らは将校たちを非難した。

元老院広場（＊別名デカブリスト広場。サンクトペテルブルグ市の中心を貫流するネバ川に面する広場。一八二五年十二月にニコライ一世即位に反対し武装蜂起して鎮圧された人々をデカブリストと呼ぶ。主流は貴族の士官たちだった）に出て行って戦ったのも将校たちだった。彼らは人民のことを考えて立ちあがったんだ。この人たちは、この事件のあと絞首刑になったり、鉱山やシベリア送りになった。誰ひとりとして、彼らを守るべく立ちあがる人はいなかった。

そのあともロシアの将校たちは皇帝と祖国のために、塹壕に立てこもってドイツと戦った。前線から遠い祖国ではすでに、革命的な愛国者たちが彼らの帰還を待ち受けていた。彼らの心臓に狙《ねら》いをさだめ、構える銃に鉛の銃弾よりもっと悪質な銃弾をこめて。

戦場からもどり、治安回復に努めた将校たちを、彼らは『冷血なる反動守備隊』と呼んだ。すべてがカオス状態だった。あらゆるものが崩壊の一途をたどっていた。物心両面における古くからの価値観が火をつけられて燃やされ、踏みつけられていた。

この惨状は彼ら将校たちにとって、耐え難いことだった。彼らは死を覚悟し、軍服の下に清潔な肌着をつけて、心理攻撃作戦にふみきったんだ。ところで、心理攻撃作戦って何か、知ってるかい?」

「敵をおびえさせる作戦だろう? 映画で見たことがある。『チャパエフ』(*一九三四年制作のロシア映画。ロシア革命の英雄とされるチャパエフ・バシリーを描いた)の中で、反動守備隊の将校たちが隊列をなして行進し、機関銃の機銃掃射を受ける。ばたばたと仲間が倒れる中、残った者同士が隊列を詰めて、攻撃作戦を続行するんだ」

「そのとおり。彼らは倒れてはまた前進する。問題は彼らは攻撃をまったくしていなかったということなんだ」

「それじゃあ、なぜ彼らは行進していたんだい?」

「軍の慣例においては、いかなる攻撃も、その目標は、敵の身柄を拘束するか壊滅させるかのいずれかしかない。しかも、味方の犠牲を最小にとどめつつだ。

機関銃掃射に突っ込んだり、塹壕から跳び出したりできるのは、意識的か無意識的かは別にして、何らかの異なる目標を設定できたときなんだ」

「どんな目標だい?」

「たぶん、軍事技術のロジックには反することだが、行進している隊列に向けて発砲して攻撃してくる相手に、自分の命を危険にさらしながらも訴えたかったんだ。発砲することよりも、むしろ相手を理解するようにと。それを願っていた」

「そうなると、彼らの死はイエス・キリストの十字架上の死に似ていないか？」

「そうだよ。われわれはもう一度キリストを思い出さないといけないんだ。隊列をなして行進していた若い管楽器隊や大将たちのことは、とうの昔に忘れ去られてしまっている。軍服の下に清潔な肌着をつけて行進した彼らの魂は、おそらく今も、われわれが発砲を許した銃弾を浴びながら、われわれに訴えつづけているんだ。もっと深く考えよってな」

「なぜわれわれに訴えているんだい？　彼らが撃たれたとき、われわれはまだ生まれてさえいなかった」

「たしかに生まれていなかった。だが、銃弾は今も飛んでいるんだ。新しい銃弾だ。われわれでなければ、いったい誰が発砲している？」

「たしかにそうだ。銃弾は今も飛んでいる。どうしてこんなに長い間こうなんだ？　あんたはどうして家を出たんだい？」

「視線に耐えられなかった」

「視線？　誰の？」

「ある晩、家でテレビを見ていたんだ。妻はキッチンにいて、私と息子が一緒に見ていた。政治番組になって、KGBについての話がはじまった。明らかに、彼らは誇張した言い方をしていた。おれは新聞を手にとり、テレビの内容にはまったく関心がないふりをした。

おれは息子がチャンネルを替えることを願っていた。彼は政治になどまったく関心がない。音楽が好きなんだ。だが彼はチャンネルを替えようとしなかった。私は新聞をガサガサとめくりながら、彼の顔を盗み見た。椅子に座っていた彼は、手が白くなるほどぎゅっと強く、ひじ掛けに爪を立てていた。おれ自身は、顔の筋肉ひとつ動かさずじっとしていた。

彼がチャンネルを替えるつもりがないことを知ったおれは、新聞の陰にかくれて、精一杯、限界までがまんした。だがついに耐えられなくなった。新聞をもみくちゃにして脇に放り投げ、荒々しく立ちあがり、言った、というより、叫んだ。『いい加減チャンネルを替えてくれるかい？　いいか、替えてくれるかい？』

息子も立ちあがったが、テレビに向かおうとはしなかった。彼は私のほうを向き、黙ったままじっと私の目を見た。番組は続いていたが、息子は私から視線をそらさなかった。

その晩、私は彼にメモを書いた。『私はしばらく家を出る。こうするしかないと思う』とね。そしておれは永久に家を出たんだ」

「どうして永久になんだ？」

「なぜならば」

二人はだいぶ長い間黙ったままでいた。私は睡眠をとるために、ベニヤ板の上でもう少し寝心地よく体勢を整えようとした。だがそのとき彼は再び口を開いた。

「アナスタシアは、『私は人々を闇の勢力の時間域を超えて運び出す、必ずそうする』って言ってるんだよな？」

「そうだよ、彼女はそう言ってる。そして彼女はそうすると信じている」

「彼女には精鋭部隊が必要だ。私はその連隊の兵士になる」

「何の連隊だい？　あんたは誤解してる。彼女は暴力は嫌いなんだよ。彼女は何とかして人々にわかってもらいたいと思っている。彼女は自分の光線で何かをしようとしているんだ」

「おれは思う、というより感じるんだ。彼女はそれをやってのける。たくさんの人々が彼女の光線に温められたいと思うようになる。しかし、自分たちの頭も少し使うべきだということを理解する人はほんのわずかだろう。われわれはアナスタシアを助けなければならないんだ。彼女はたったひとりだ。彼女は小隊ひとつさえもっていない。いいかい、彼女はあんたを召喚し、あんたに頼んだんだよ。そしてあんたはこの地下階に浮浪者のように寝転がっている。たいした起業家さ」

「あんたもここに寝転がっている。ミスターＫＧＢ」

「そういうことだ。おやすみ、兵隊さん」

「あんたの兵舎はちょっと寒いね」

「そうさ、それもよくあることだ。丸くなって、自分の体温を逃がさないようにするといい」

それから彼は立ちあがって、壁と仕切り板のすき間から何やらビニールの包みを取り出し、その中に入っていたものを私にかけてくれた。私の顔の横で、彼の制服の肩章にある三ツ星が、ろうそくの淡い光の中できらめいていた。私は彼の制服の下で暖まり、いつのまにか眠っていた。うとうとする中で、この地下階に住むホームレスの男たちが自分たちのぼろ布コーナーに向かったような音を聞いた。そのあと彼らは、私という新入りがそこで一夜を過ごす見返りとして、わが連隊長に金を要求した。彼は翌日払うと答え、男たちは即座に払えと言って彼を脅していた。

連隊長は自分用のベニヤ板のベッドを動かし、それを私と二人のホームレスの男との間に据えて言った。「彼に触れるのはおれを殺してからにしろ」そう言うなり、彼はベニヤのベッドに横になり、自分を盾にして、彼らから私を遮断した。すると、すべてが静まり返った。私は再び暖かさと平安の中で眠りに落ちた。

連隊長に肩を揺すられて目が覚めた。

「起きて仕事にかかれ！　起床！　今すぐここを出ないといかん」地下階のすすけた窓の外に夜明け前のかすかな光が見えていた。私は身を起こしてベニヤ板の上に座った。ひどい頭痛がして、呼吸が苦しくなっていた。

「まだ早いよ。夜も明けていない」

「今すぐ出ないと手遅れだ。やつらは粉末火薬をまぶした脱脂綿に火をつけた。昔からのやり方だ。これ以上ここにいれば、窒息して死ぬぞ」

彼は棒のようなものをもって窓のところに行き、窓枠を取りはずそうとした。あの二人は外側からカギをかけていたのだ。彼は窓枠を引っ張り、ガラスを粉々にぶち壊して、窓敷居にのぼった。窓はコンクリートのくぼみに通じていたが格子におおわれている。

彼は格子を取りつけ台からはずそうと必死だったが、うまくいかない。私は壁にもたれて立っていた。頭がくるくる回っている。連隊長は破れた窓から頭を突き出して私に命令した。「しゃがめ！　下のほうが煙が少ない。動くな。できるだけ空気を吸わないようにしろ！」

彼はついに格子を自分の両肩ではずし、それを脇に置いて私を引っぱり出した。

地下階の窓の外はコンクリートの舗道だった。二人してそこに座り、黙ったまま、目覚めはじめたモスクワの街の、夜明けの空気を吸った。次第に、めまいはなくなっていった。寒かった。二人ともそれぞれの思いの中に沈んでいた。ややあって私が口を開いた。「あんたのおとなりさんはまったく友好的じゃないね。やつらはここのボスってことかい？」

「ここではみんなが自分のボスさ。これが彼らの商売なんだ。新入りを連れてきては、寝場所代をとる。その男が支払いを拒めば、彼のグラスに何かを入れるか、あるいは、われわれにやろうとしたように、眠っている間に煙攻めにして窒息させ、何か盗れるものがあれば好きなだけ盗るんだ」

「そして、ミスターKGB、あんたは今、こういうことすべてをただ冷ややかに傍観しているわけだ。あんたはこんなことをしているやつらを、バシッとうまくたたき出すこともできたはずだ。

郵便はがき

料金受取人払郵便

神田局承認

1916

差出有効期間
2025年7月
31日まで
切手を貼らずに
お出しください。

101-8796

509

東京都千代田区神田神保町3-2
高橋ビル2階

株式会社 ナチュラルスピリット

愛読者カード係 行

フリガナ		性別
お名前		男・女
年齢	歳	ご職業
ご住所	〒	
電話		
FAX		
E-mail		
ご購入先	□ 書店(書店名:) □ ネット(サイト名:) □ その他( )	

ご記入いただいたお名前、ご住所、メールアドレスなどの個人情報は、企画の参考、アンケート依頼、商品情報の案内に使用し、そのほかの目的では使用いたしません。

ご愛読者カード

ご購読ありがとうございました。このカードは今後の参考にさせていただきたいと思いますので、アンケートにご記入のうえ、お送りくださいますようお願いいたします。

小社では、メールマガジン「ナチュラルスピリット通信」(無料)を発行しています。
ご登録は、小社ホームページよりお願いします。**https://www.naturalspirit.co.jp/**
最新の情報を配信しておりますので、ぜひご利用下さい。

●お買い上げいただいた本のタイトル

●この本をどこでお知りになりましたか。

1. 書店で見て
2. 知人の紹介
3. 新聞・雑誌広告で見て
4. DM
5. その他（　　　　　　　　　　　　　　）

●ご購読の動機

●この本をお読みになってのご感想をお聞かせください。

●今後どのような本の出版を希望されますか？

購入申込書

本と郵便振替用紙をお送りしますので到着しだいお振込みください（送料をご負担いただきます）

書　籍　名	冊数
	冊
	冊

●弊社からのDMを送らせていただく場合がありますがよろしいでしょうか？

□はい　　□いいえ

それとも、あんたは将校として事務所の机に一日中座って書類をガサガサいじってただけで、こうした脅迫殺人未遂については何も知らなかったのかい？」

「おれの仕事には事務所に座ってやるべきものと、座っていてはいけないものと両方あったよ。脅迫殺人未遂の事実を知ることと、脅迫殺人未遂を取り締まることはまったく別ものだ。同様に、反対者や敵というものと、ひとりの人間とは別ものだ。そして、とても自分の手に負えないときには、それを見て見ぬふりをすることを選ぶ道がある」

「あんたはやつらを人間と呼ぶのか？　あんたが見て見ぬふりをしている間に、やつらは人から盗み、殺しまでやるんだよ」

「たしかに彼らはいつでも殺しをやる気でいる。だが、それを物理的な手段で止めることはできないんだ」

「二人してほとんど殺されかけたというのに、哲学的考察かい？　われわれはなんとか脱出できたが、ほかの人はできないかもしれないのに」

「たしかに、ほかの人は脱出できないかもしれない」

「そうだろう？　それなら、どうしてあんたはそうやって哲学的考察などにかまけているんだ？行動しないで」

「おれは力ずくで人を打ち負かすことはできない。何度も言うが、おれにできるのは、それを無視することだ。そろそろあんたの配置についたらどうだい？　もう夜が明けたよ」

私は立ちあがり、彼の手をとって握手をし、そこを離れた。数歩行ったところで、彼は私を呼びとめた。

「待て！　ちょっと戻ってくれ」

私はコンクリートの舗道に座っているホームレスの連隊長のところに近づいていった。彼はそこに座ったまま、頭を低く垂れ、黙っていた。

「どうして呼んだんだい？」と私は聞いた。

彼は少しの間黙っていたが、「あんたは、無事到着できると思っているのか？」と言った。

「ああ、大丈夫だ。さほど遠くない。ここから三つ目の駅だ。無事到着できるさ」

「いや、あんたは目標を達成できるのかい？　自信はあるのか？　本を書いて出版するんだろ？」

「行動しようと思う。まず、書いてみる」

「アナスタシアは、あんたにはそれができることになっていると言ったんだね？」

「うん、彼女はそう言った」

「それなのに、なぜあんたはそれをすぐ実行しなかったんだい？」

「もうひとつのことがもっと重要だと思ったんだ」

「ということは、あんたは彼女の命令どおりに正確に実行することができないということか？」

「彼女は命令などしなかった。ただ私に頼んだだけだ」

「彼女は頼んだ……つまり戦略戦術は彼女自身が考えた。だが、あんたは帰ってから自分のやり方でことを進めて、何もかもしくじってしまったわけだ」

「それが起こったことだ」

「それが起こったことだな。あんたはことを進める順序にもっと注意深くしないといけない。ほら、これをあげるよ」

彼はセロファンに包まれた何か小さなものをさし出した。私が包みを開こうとしたとき、セロファンから金の結婚指輪と鎖のついた銀の十字架がすけて見えた。

「業者は評価額の半分は払ってくれるはずだ。その値で買ってもらうといい。これから進んでいく助けになる。泊まるところが必要ならここに来いよ。奴らはおれがなんとかする」

「何を言ってるんだ。こんなもの受け取れないよ！」

「考えるな。時間だ。行け。早く！　進むんだ！」

「受け取れないとおれは言ってるんだ！」と言いながら彼に指輪と十字架を返そうとしたとき、命令するような、同時に懇願するような、彼の表情にぶつかった。

「回れ右！　前進！　進め！」彼はいかなる反論も許さないというような、抑えた低い声で言い、少し間をおいてから、その場を離れようとした私に、「ともかく任務を果たせ！」と低くささやいた。

アパートに着いた私は、すぐ眠るか、とにかく横になりたかった。だが、あのホームレス連隊長のことがどうしても頭を離れない。清潔な服に着替え、彼に会いに行くためにまた外に出た。

歩きながら考えた。「たぶん彼は私と一緒に住むことに同意するだろう。彼は何にたいしても素養がある人物だ。実務的で清潔できちんとしている。さらに、彼はアーティストだ。たぶん本のカバーのために絵を描いてくれるだろう。二人一緒ならここの家賃もずっと楽に払えるはずだ。私には来月分の家賃を払う金すら今はない」

夜明けに二人で這い出た地下階の窓に近づいたとき、人だかりが見えてきた。その建物の住人たちのようだ。パトカーが一台と救急車が一台停《と》まっている。

ホームレス連隊長が微笑みを浮かべた顔で目を閉じ、そこに横たわっていた。彼の体はぬれた土で汚れ、その手は赤レンガのかけらを握りしめていた。ぐしゃぐしゃに壊れた木の箱が壁の前に置かれていた。

科学捜査班の男がノートにメモをとっていた。彼の横に、もうひとりの、しわくちゃなぼろを着たゆがんだ顔の死体があった。

小さな人だかりの中で、おそらくアパートの住人と思われるひとりの女性が、興奮した様子でしゃべっていた。

「私は子犬を連れて散歩していたの。彼、あの微笑んでいる彼は、あの箱の上に乗って、壁のほうを向いて立っていた。三人が、浮浪者のように見えたけど、男が二人で女がひとり、後ろから彼に近づいていった。ひとりがあの箱を蹴《け》りあげた。そこに立っていたあの人は地面に墜落した。三人は彼の体をめちゃくちゃに蹴りながら、ののしりはじめた。私が彼らに向かって大声で叫んだら、彼らは蹴るのをやめた。

あの微笑んでいる彼、スマイルさんはふらふらしながらやっとのことで立ちあがった。彼は三人に向かって、消えろ、二度とおまえたちの顔は見たくないと言った。三人はまたののしり声をあげて、彼のほうに突進した。彼らがぎりぎりのところまで接近したとき、スマイルさんは、手を振り回しもせずに、箱を蹴りあげた男ののどもとに空手チョップをくらわした。

大きな身振りもないのに強烈な一発だったから、こっちの男はかがみ込んで息苦しそうにしていた。私はまた大声で叫んだ。あとの二人はあわてて逃げて行った。最初に女、その後ろを男が追いかけるようにして走っていった。スマイルさんは胸をぎゅっとつかんでいた。万一、心臓発作など起こしていたら、そこにそのまま座るか横になるかしないといけなかったのに、彼は自分の箱のほうへ戻った。

彼はのろのろと歩いていって箱を手に取り、それを壁に向けてもとの位置に戻した。壁にしがみつくようにして箱の上にのぼり、立ちあがった。とても気分が悪そうだった。彼の体は崩れるように沈みこんで、箱を離れ、地面に落ちていった。

あの赤レンガのかけらを握って壁に絵を描きながら落ちていって、地面にあおむけに倒れるまで描いていたの。私は彼のところに走り寄った。彼はもう息をしていなかったけれど、なんと、その顔は微笑んでいたのよ」

「どうして彼は箱の上にのぼったんだ？」と私は女性に聞いた。

「そうだよ、もし心臓発作が起きていたんだったら、なおのことそこが気になるね」と、誰かが共鳴して言った。

「あのね、彼はまだ描きたかったのよ。あの浮浪者たちが彼に忍び寄ったとき、彼は絵を描いていたの。彼が三人に気がつかなかったのは、きっとそのせいね。私はうちの小さなワンちゃんとだいぶ長く散歩をしていたんだけれど、その間彼はずっと描いていたわ。その絵から一度も目を離さなかった。あの上のほうに絵が描いてあるでしょ」と言って、彼女は建物のレンガの壁を指さした。

建物の灰色の壁に、赤いレンガのかけらで、太陽の円が描かれ、その真ん中に一本の杉の枝が描かれていた。太陽のへりの円に沿って、ふぞろいな文字がいくつか書かれている。

私は壁に近づき、その文字を読んだ。「響きわたるシベリア杉」と書いてあった。太陽から細い光線が放射して描かれていたが、その光線は三本だけだった。彼には光線をたくさん描く時間が残されていなかったのだ。短い光線が二本描かれ、三本目の光線は、ずっと伸びて、ふらふらと曲がりながら、薄れながら、壁の下の下のほうへと、亡くなったホームレス連隊長が、微笑みながら横たわっている地面すれすれのところまで伸びていた。

微笑みを浮かべた彼の土まみれの顔を見つめながら、私は考えていた。「たぶん、彼の人生の最後の最後の瞬間に、アナスタシアの光線が彼に触れることができたのだ。そしてアナスタシアは、少なくともこの人の魂を温めることができて、無限の光の世界に運んでいったのだ」

遺体がバンに運び込まれるのを私は黙って見ていた。彼らは「私の」連隊長を、粗布の大袋に放り込み、彼の頭がトラックの床にぶつかった。私には耐え難いことだった。大急ぎでジャケットを脱ぎ、バンに走り寄って、彼の頭の下に私のジャケットを敷くように要求した。

ひとりの救急隊員が私をののしったが、別の隊員が何も言わずにジャケットを受け取り、連隊長の白髪まじりの頭の下に敷いた。バンは出発した。私の心はからっぽだった。何事も起こらなかったかのように、ただ空虚だった。私はそこに立ったまま、朝の太陽の光に照らし出されたその絵と文字とを見つめた。思いは混乱していた。

私のミスターKGB、この場所で死んでしまったロシアの将校、彼のために私は何かをしなければならなかった。だが、何を?……そして、私はあることを決断した。「将校、私はあんたが描いてくれたこの絵を本のカバーにするよ」

私は必ず本を書く。書き方も知らないが、それでも、私は書く。一冊だけでなく。書く本のすべてに、あなたの絵をエンブレムとして載せる。そしてロシアのすべての人々に本の中で訴える。

「ロシアのみなさん、われわれの将校たちの心臓に、火を噴く銃弾を撃ち込まないでください。あなたの残酷さと冷淡さという目に見えない銃弾を、どうか撃ち込まないでください。

白軍、赤軍、青軍、緑軍、なんであれ、その軍人たちを撃たないでください。准士官であれ、大将であれ、背後から彼らを撃たないでください。あなたが後ろから撃つ銃弾は、鉛の銃弾よりも悪質な毒をもっているのです。将校たちに銃口を向けないでください。撃たないでください!

ロシアのみなさん」

＊　＊　＊

私はものすごいスピードで書いた。ときどき、学生プログラマーのアントンとアルチョムとリョーシャが食べ物持参で立ち寄ってくれた。

彼らはアナスタシアについてはまだ何も知らず、彼らには、起業家協会の組織化の問題は、私が書くべきだったその本の助けによって解決されるのだと説明した。そして彼らは、私の書く文章をパソコンに打ち込んでくれた。

この仕事のほとんどの部分はリョーシャ・ノヴィコフが引き受けてくれた。彼は二、三日に一度ぐらいの頻度で、打ちあがった原稿のプリントをもってきては、次の章の原稿をもち帰った。これが約二カ月続いた。

ある日、リョーシャは第一巻の最後の章のプリントと、全文の入ったディスクと、ビール二本と、小さなソーセージ一本と、その他のつまみと、二万ルーブルをもってやってきて、これらを全部テーブルの上に並べた。

私は驚いて彼にたずねた。「リョーシャ、いったいどこでこんな金を手に入れたんだい？」

彼は母親と一緒に暮らしていて、生活は非常に貧しく、地下鉄の切符やサンドイッチひとつ買うのも大変な状況だったのだ。

「学期が始まったんです。ウラジーミル・ニコラエヴィチ」とリョーシャは答えた。「二、三人の学生に図面を書いてあげたり、怠けているか能力がないかのどちらかでプログラムを作れない学生数人にプログラムを作ってあげたんです。彼らが払ってくれたお金です」

「それで、きみ自身は学期を無事にパスできるのかい？」

「大丈夫です。あと試験がひとつ残っているだけです。二日後には一カ月間のキネシマ（＊モスクワ北東、ボルガ川右岸にある都市）での訓練に召集されています。僕はあなたがこの本を書くことができて本当に嬉しいんです。何か訂正するところなどあれば、アルチョムが訂正箇所を打ち込んで完成させてくれます。アントンはもう召集されて行ってしまっていますが」

「リョーシャ、きみは試験を受けたり、ほかの学生のために図面を書いたり、プログラムを作ったり、さらに加えて毎日原稿をパソコンに打ち込んでプリントしたりしている。いったいどうやって、こういうすべてを同時にこなしているんだい？」

リョーシャは黙っていた。私は温めたソーセージをキッチン・テーブルに置こうとして、テーブルのほうを振り返った。彼は『アナスタシア』の原稿にのせた両腕にうつぶせになってぐっすりと寝入っていた。

何が隠されているのか

冷めてなまぬるくなったソーセージの横で、リョーシャ・ノヴィコフが、アナスタシアについて書かれた私の本の原稿の上に頭をのせて眠っている。モスクワの狭いアパートのキッチン。私はそのテーブルの前に立って、自分自身に固く約束した。もう一度、資金を蓄える方法を見つけ出して船を取り戻し、その船で、最初に私をアナスタシアのもとに連れていったと同じルートをたどって航行しよう。

それは以前のように商売のために行くのではない。リョーシャ・ノヴィコフやアントンやアルチョム、そして、そのほかの、最も純粋な意図をもった起業家たちの協会を組織するべく、混乱のただ中に身を置いて、しばしば自身の物質的幸福を犠牲にしてまで骨身を惜しまず働いてくれたすべての人たちのために、夏の間の白夜の期間だけ船を出すのだ。心地よい特等船室での素晴らしい休暇を彼らに楽しんでもらうために。

アナスタシアがもたらしたもの、その思想とはいったい何なのか？　なぜこんなにも人々をとらえるのか？　なぜ私自身にとっても、こんなに大切なものとなってしまったのか？　そこにどんな秘密が隠されていたのか？　私はその謎を解き、その目的を探るために、この思想を整理し、明確にしなければならなかった。なぜ人々はこのタイガの世捨て人の描いた夢にこんなにも心揺さぶられたのか？　そこに何が隠されていたのか？　どうすればその謎を解くことができるのか？

モスクワ・トゥルースのレポーター、カチャ・ゴロヴィナは、学生たちに質問して真相を突きとめようとした。「あなたを突き動かすものは何ですか？　ここから何を得ているのですか？」だが、学生たちから明確な答えを引き出すことはできなかった。彼らはただ、「これは私にとってやりがいのあることなんです」と言っただけだった。彼らもまた、直観的に行動しているのだ。だが、この直観の背後にあるものはいったい何なのだろう。

＊　＊　＊

アナスタシアについて書かれた最初の薄い本は、モスクワ・ナンバー・イレブン印刷会社が、自費で二千部を印刷した。

なぜ、この会社の社長であるゲナディ・ウラジーミロヴィチ・グルーシャは、無名の著者による本を印刷するという決断をしたのか？　そのうえ、経営的に厳しい状況であったにもかかわらず、なぜ、新聞印刷用の紙ではなく、グレードの高いオフセット印刷用の紙を使ったのか？

私は最初に印刷されたものを、地下鉄のタガンスカヤ駅の入り口近くで売ったのだが、そのあと、最初に読んでくれた人たちが手伝ってくれるようになった。ひとりの年配の女性は地下鉄のドブルイニンスカヤ駅の近くで毎日売ってくれて、近づいてくるすべての人に、これはいい本だと詳細にわたって説明した。いったいなぜなのか？

やがて読者たちは、モスクワ郊外の行楽地でも同じようにこの本の販売をはじめた。自分たちで広告を書いて、そこで休暇を過ごしていた人たちと一緒に、読者の会を立ちあげた。

モスクワ・パブリッシング社の営業部長、ユリ・ニキチンは、なぜか突然、二千部の増刷分を印刷会社に前払いして買い取る決断をした。彼のこの行為も奇妙である。

彼は車で私に会いに来て、「テニスの試合があるので、これから息子と一緒に海外に行きます。今晩の飛行機です。その前に支払いを済ませないといけないので」と言い、増刷分に関わる全額を支払った。その増刷した分を受け取る時期になって、ニキチンは言明した。「夏の間は本の販売はしませんので、私は少しだけもっていきます。残りはあなたが扱ってください。もし何らかの入金があれば、あとで支払ってくだされればけっこうです」

原稿を書きはじめてから今日に至るまでの間、この本に関して、「なぜ？」と首をひねらざるをえないようなことが頻発してきた。まるで生きもののように、この本自体が人々を惹きつけ、その人々の助けで、公衆の前に自らを押し出したのだ。

私は、この本に関連して起こった出来事を、偶然の一致として、ここに一気に書いてみた。ところが、この偶然の一致のように見えるそれぞれの出来事はすべて、論理的に組み立てられた輪を成すひとつの鎖に、ぴったりとはめ込まれるのだ。今の私には、出来事の論理的結果と偶然の一致とを見分けることはできない。それを分けて考えることは難しくなっている。

フェオドリ神父

フェオドリ神父に会うことができると自分から思えるときがやってきた。

タイガでアナスタシアに、「われわれの世界にきみと同じくらいの能力と知識をもっている人々はいるのかい？　こんなに遠くに住んでいる人じゃなくて」とたずねたことがある。

「地球上のさまざまな僻地《へきち》に、技術優先主義とは異なる生き方をしている人々がいる」とアナスタシアは答え、「彼らはいろいろな能力をもっている。でも、あなたがたの世界にも、冬でも夏でも容易に会いに行ける人がいる。彼の霊性の力はとても偉大」とつけ加えた。

「その人がどこに住んでいるか、きみは知ってるのかい？　私が会って話をすることはできる？」

「できるわ」

「それは誰なんだい？」

「あなたのお父様よ、ウラジーミル」

「何だって？　ああ、アナスタシア、アナスタシア……きみが言っていることが正しいという証拠が本当にほしかったんだが、逆になってしまったよ。私の父は十八年前に亡くなって、ブリャンスク州の小さな町に葬られているんだ」

アナスタシアは草の上に座り、両ひざを寄せて木にもたれていた。私の目を黙って見つめた彼女の視線は少し悲しげで、後悔しているように見えた。それから彼女は両ひざの上に顔を伏せた。私の父に関してまちがってしまったことで、うろたえているのだろう。私はそう思って、彼女をなぐさめようとした。

「アナスタシア、そんなに取り乱す必要はないよ。たぶんきみは、さっききみが言ったように、ほんの少ししか力が残っていないから、まちがったんだよ」（この会話は、第一巻に私が描写した、報復を受けていた男女を助けようとしてアナスタシアが意識を失った、あの事件の少しあとの会話である）

アナスタシアは少し長く黙ったままでいたが、頭をあげてもう一度私の目をじっと見て言った。

「たしかに私の力は弱くなっているわ。でも、まちがうほど弱ってはいない」

そして彼女は二十六年前に起こった出来事について物語りはじめた。過去のことを正確かつ詳細に、人々それぞれの気持ちまでを添えて語ったのだ。

ふつう誰かと話しているときには、その相手が誰であれ、かすかに読みとれる微妙な表情とか、しぐさとか、まなざしとか、そういった外観から、その人の考えていることがだいたい推測できると言われる。これは私にもなんとか理解できる話なのだが、アナスタシアが、どのような方法で、過去に起こった出来事をまるでドキュメンタリーでも見るように見ていたのか、それは私にとっていまだに謎である。

アナスタシア自身も、これについては、ふつうの理解可能な言葉で説明することはできなかった。

彼女は話しはじめた。「モスクワからさほど遠くないところ、セルギエフ・ポサドに、トロイツェ・セルギー大修道院がある。そこには、がっしりとした古い城壁に囲まれて、神学校とアカデミーといくつかの教会と修道院がある。

教会堂は公開されていて、昔のロシアを思わせるこの聖なる場所で、祈りたい人は誰でも入って祈ることができる。信者たちが迫害されていた時代でさえここは破壊されず、神学校とアカデミーと修道院はそのままあって、この城壁の内側で、修道士たちは共に神に仕えた。

二十六年前、私がこの世に生まれた日、ひとりの若者がトロイツェ・セルギー大修道院の門をくぐり、中へと入っていった。彼は博物館を見てから、本教会に進んだ。背の高い白髪の神父が説教をしていた。彼は修道院での地位もその背丈と同様に高い人だった。

この人がファーザー・フェオドリ。トロイツェ・セルギー大修道院の主席司祭。若者は説教に耳を傾け、フェオドリ神父が退席したあとを追って、神父が向かった宝物室までついていった。

教会の奉仕者は彼を引き止めなかった。若者はフェオドリ神父に近づき、説教についての感想を話しはじめた。

フェオドリ神父はだいぶ長くこの若者と話をしていた。若者は洗礼は受けていたが、さほどの信仰もなく、断食も守らず、聖体拝領（＊カトリック教会のミサで聖体を受けること。パンと葡萄酒をキリストの体と血の象徴として拝領する）もせず、定期的に礼拝に参加することもしていなかったが、その日、フェオドリ神父とこの若者の間に友情が芽ばえた。

若者が修道院にやってくると、フェオドリ神父は彼と話をし、ふつうの教区民は見ることができない聖なる品々を彼に見せた。神父は彼にさまざまな本をあげたが、彼はそれらをなくし、神父が首にかけてあげた十字架もなくしてしまった。

神父は彼に二個目の十字架をあげた。その十字架はめったにない形をしていて、十字架のところがロケットのように開くものだった。若者はそれもなくしてしまった。神父は若者を食事にもさそい、修道院にいるほかの修道士たちと一緒のテーブルにつかせて共に食事をした。毎回彼は若者にささやかな小遣いをあげた。何にたいしても決して若者を叱《しか》らず、その訪問をいつも心待ちにしていた。

これが一年続いた。若者は毎週修道院を訪れていたが、ある日修道院をあとにしてから一週間経っても彼はやってこなかった。神父は待った。一カ月が過ぎ、一年が過ぎても、若者は現われなかった。神父は待った。

そして二十五年が過ぎてしまった。神父はずっと待ちつづけている。二十五年間、ウラジーミル、あなたの霊性の父、ロシアの偉大な神父、ファーザー・フェオドリはあなたを待ちつづけているのよ」

「私は修道院からずっと離れた遠くに行ってしまっていたんだ。シベリアに。フェオドリ神父のことはときどき思い出していたよ」と、私は言いわけがましく言った。自分自身かほかの誰かにたいして、自分を正当化しようとして。

「でも、あなたは彼に一通の手紙さえ書かなかった」

「彼に会いたい」

「会って、彼に何を言うつもり？　たぶん、どのようにしてお金をもうけたか、愛に恵まれたか、道を踏み外してしまったか、そんなことを話すのでしょう？　これまで何度あったと思う？　あなたが破滅の縁に立たされて、最後の瞬間にその災難が去っていったこと。

彼はあなたをひと目見れば、その瞬間にこういうことすべてがわかる。彼はあなたの罪のためにずっと祈っていて、その祈りであなたを何度も何度も助けてきた。彼はいまだに二十五年前と同じように信じている。彼はあなたに何か別のことを期待していた」

「何を？　アナスタシア。彼は何を知っているんだい？　何を期待している？」

「それは私にもまだ整理できていない。彼は直観的に何かを感じ取った。教えて、ウラジーミル、彼との会話の内容は憶えてる？　修道院の宝物室で何を見たか憶えてる？」

「すべてがかすんだ記憶でぼんやりしている。なにしろ大昔のことだからね。思い出せるのは、ばらばらのエピソードだけだ」

「がんばって思い出してみて。私が手伝うわ」

「行くたびに、フェオドリ神父は修道院の中のちがった場所で私と話をした。地下か半地下にあったいくつかの部屋を思い出したよ。広い食堂、そこにあった長いテーブル、そこで夕食を食べている修道士たち、その同じテーブルについている私。ちょうど何かの断食の期間で、食事は質素なものだったが、美味《おい》しかった」

「修道院にいたときに、何かいつもとちがう感覚とか気持ちを覚えたことない？」

「あるとき、夕食の後に、私は修道院の廊下を抜けて、大修道院の中心にある中庭から門に向かおうとしていた。その門は教区民には開放されていないものだった。中庭に人の気配はなかった。厚くがっしりとした城壁が外からの街の騒音を遮断していて、そこにあるのは、いくつかの教会堂と、周囲にただよう静寂だけだった。

　私は立ち止まった。荘厳な音楽が聞こえたような気がしたんだ。門のところには当番の修道士が、私が出たらかんぬきを差して門を閉めようと待ちかまえていた。急がないといけなかった。それでも、私はそこに立ったまま、その音楽に耳を傾けた。そしてゆっくりと門に向かった」

「そのあと、その同じ音楽を聞いたことはある？　そのときと同じ気持ちを感じたことは？」

「ない」

「その音楽をもう一度聞こうとしたり、そのときの感覚を呼び戻そうとしたことは？」

「ある。でも、一度も成功しなかった。その次に修道院に行ったときに、同じところに立つことまでしてみたが、残念ながら……」

「何かほかのことを思い出してみて、ウラジーミル」

「まるで私を尋問しているみたいだね。きみは二十六年前の私の人生の一部を非常に正確に話してくれた。あの頃私が何を感じていたかも話せるだろう」

「それは不可能よ。フェオドリ神父に特別な計画があったわけではない。彼はただ直観的に何かを予期し、あなたのために、彼だけにわかる何か、偉大で意義深い何かをしたのだと思う。私もただそれを直観的に感じるだけ。彼は何か意義深いことを考え、そのために多くのことをした。本当に多くのことを……。

ただ、なぜ彼が自分の願いをあなた――すみやかに信仰に至るための初歩的な能力ももち合わせていないあなた――に託したのか、それは謎のままだし、なぜ、あなたの二十五年間にわたる自堕落な生活が、彼の信念を消し去ることがなかったのか、これもまた謎よ。

それに、なぜあなたは、こんなにも多くを与えられていながら、ずっと何もしないままでいるの？　私には理解できない。そもそも、宇宙には跡形もなく消え去るものは何ひとつないのよ。どうか思い出して。あなたの霊性の父と過ごした時間やその会話の中から、少なくとも二つか三つのエピソードを」

「思い出したよ……神学アカデミーか神学校にある宝物室のようなホール。でも、これはたぶん、修道院の地下にある部屋のひとつだと思う。ひとりの修道士がフェオドリ神父のためにその部屋の扉を開けた。その修道士はそこに入っては行かなかった。フェオドリ神父と私は一緒にそこに入った。壁には何枚かの絵がかけられていて、棚の上には物がいくつか置かれていた」

「あなたはそこで二度驚いた顔をした。何に驚いたの？」

「驚いた？　ああ、もちろん、私はそれを見て驚いた。本当に驚いた」

「何を見たの？」

「絵だよ。それは、まるで鉛筆で描かれたような、白黒の絵だった。とても精密に描かれた肖像画だった」

「それで、何があなたをそんなに驚かせたの？」

「覚えていない」

「思い出してみて、ウラジーミル。なんとかがんばって思い出して。私が手伝うわ。小さな部屋。あなたとフェオドリ神父はこの絵の前に立っている――あなたのほうが少し前に――フェオドリ神父が、『もう少し絵に近づいてごらん、ウラジーミル』と言うと、あなたは一歩前に進み、さらに一歩……」

「思い出したよ！　アナスタシア」

「何を？」

「この肖像画はたった一本の線で描かれていたんだ。脈打つような、らせん状に回転する線で。鉛筆か、何か絵を描く筆のようなものを白い紙の真ん中に据えて、そのまま持ちあげずにらせん状に引き、線を太くするところでは上から押しつけ、非常に細くするところではかすかに紙に触れる程度にして、一度も中断することなく描かれたもののように見えた。

らせん状の線は最後に紙の端で止まり、その結果現われたのはみごとな絵、ある人の肖像画だった」

「その絵は、見たい人は誰でも見られるように展示しないといけない。誰かがその絵に込められた情報を解読できるかもしれない。ひとりの人の顔を描いたその脈打つ線から、人々は何かを知るようになる」

「どうやって？」

「まだわからない。そうね、たとえば、点やダッシュは、ある種のアルファベットか音符のようなものに受け取れるかもしれない。ただ、これは私の推測にすぎない。そのどちらかかもしれないし、あるいは何かほかのものの可能性もある。あちらに戻ったら、その絵を人々が見られるように公開するか、どこかで公表するか、いずれかを依頼してほしい。このらせん状の線を解読できる人が現われる」

「しかし、いったい誰が私の言うことなど聞くんだい？」

「彼らはあなたの言うことを聞くわ。ところで、その絵を見た日、あなたはほかにも、いつもとまったくちがう何かを体験した。それが何だったか、思い出せる？」

「あの部屋だったか、そのとなりのスペースだったか……そう、そのとても狭いスペースに、彫刻の施された立派な高座の椅子が置かれていた。ひじ掛け椅子だったような気がするが、王座のように見えた。フェオドリ神父と私はそこに立ってその椅子を見ていた。この椅子には誰も触ったことがないのだよと彼は言った」

「でも、あなたはその椅子に触った。そこに座りさえした」

「フェオドリ神父が私にそうするように勧めたんだ」

「そして、その瞬間、あなたに何かが起こった」

「いや、何も。私はそこに座って、フェオドリ神父の顔を見た。彼はそこに立ったまま、黙って私の目をのぞき込むように見つめた。彼はただ見つめただけだった」

「どうか、思い出して、ウラジーミル。そのときあなたが感じた内なる気持ちを思い出してみて。それは最も大切なものよ」

「特別な気持ちは何もなかった。ただ、何かの想念が私の頭の中をすごいスピードでぐるぐる回ったんだ。まるでカセットテープを早送りして、言葉が理解不能なただの音になったときのような感じだった」

「ウラジーミル、あなたはその意味を理解しようとした？　あとになって、そのテープを止めてノーマル・スピードで聞いてみたい、その音が意味するものを理解したい、そんな気がしたことはあった？」

「どうして？」

「存在の本質について考えるために」

「いや、そんなことは思わなかった。きみの言ってることは意味不明だよ」

「フェオドリ神父が言ったことをあなたはすべて理解した？　ひとつの文でもいいから正確に憶えているものはない？　ほかのすべての言葉とのつながりは忘れててもいいから」

「憶えてるよ。でも、これが何に関連した言葉なのかは本当にわからない」

「言ってみて」

「きみがそれを見せてくれる」

アナスタシアは木の下に座っていたのだが、突然パッと顔を輝かせて立ちあがった。両手をシダーの幹にあて、そこに片方の頬を押しつけた。

「そうだ！　わかった！」とアナスタシアは叫んで、手をたたき、嬉々として話しはじめた。

「ロシアの修道士よ！　あなたは本当に偉大な方！……あのね、ウラジーミル、フェオドリ神父について、今、私がはっきり言えることがひとつある。彼は最も大切なことを教えることで、世界の教えの多くをこっけいなものにしてしまった」

「フェオドリ神父と私はそういった教えなどについては何も話していないよ。われわれはふつうの日常の話題について話していたんだ」

「そう！　もちろん、ふつうの話！　フェオドリ神父はあなたを悩ましているものについて話した。彼は数々の聖なる創作物をあなたに見せた。不自然に卑下《ひげ》したり、見せびらかすような仰《ぎょう》仰《ぎょう》しさをもってではなく、心からの敬意をもってそれらに接しながら。高い地位を与えられていながら、彼は質素で、そのうえ、何より大切な思慮深さを備え、とくにあなたと一緒のときは深く思索していた。彼はひとつの教義も語ることはなかった。彼にくらべると、改宗を勧める人たちはこっけいとしか言いようがないでしょう？　海外からロシアになだれ込むようにやってきて、自分たちの教義を解説して、人々の目を最も大切なことからそらさせている。

フェオドリ神父があなたをそういったドグマからあまりにしっかりと防御したので、あなたは私のことさえ、世間知らずの世捨て人としか考えない。でも、私が誰であるかはどうでもいい。問題は最も大切なことから逃げないということ」

「最も大切なことって何だい？」

「ひとりひとりの内にあるもの」

「でも、西洋の賢者たちの教えやインドやチベットなど東洋の賢者たちの教えを聞いたこともない人は、どうやってそれを知るんだ？」

「基本的な情報はすべて、確実に人間の内に備えられているのよ、ウラジーミル。ひとりひとりの内に、最初から。人間は誕生の瞬間にそれを与えられる。腕や脚や心臓や髪の毛と同じように。世界中の教えや発見のすべては、この源からのみ生まれたもの。

両親が自分たちの子どもひとりひとりにすべてを与えようとするように、創造主は人間ひとりひとりに、ただちにすべてを与えられる。人間によって創られた何ものも——おびただしい数の書物や、最新の、あるいはこれから生まれてくるコンピュータ全部合わせても——そこに含まれるものは、ひとりの人間に内在する情報の、ほんの一部にも満たない。人間はそれを活用する方法を知ればいいだけ」

「それなら、どうして誰もがいろんなものを発見しないんだい？　どうして誰もが偉大な教えを生み出さないんだい？」

「ある人が真理全体の中のひと粒をキャッチすると、深い感銘を受け、その内容を繰り返し他の人に話すようになる。話しているうちに、それが自分だけに与えられたものであり、最も根本的な本質を内包するものだと固く信じるようになる。

彼はそれを他の人たちに繰り返し伝え、それだけを根本的で唯一のものと考えるよう強要しようとする。その結果、彼は自分自身を、本質的な情報の完全体から切り離してしまう。真実を知ることは、それを公言するところにあるのではなく、それを生きるところにある」

「それなら、どういう生き方が真実を最もよく知っている人の特徴なんだい？」

「幸せな生き方！」

「だけど、真実を知るには気づきと意図の純粋性が必要だ」

「神秘主義！　ファンタジーだ！」と言ってアナスタシアは笑い出し、笑いが止まらない様子で、

「私の考えていることがわかっていたの？」とやっとつけ加えた。

「これは神秘主義でも何でもない。相手に注意を払って聞いていればわかることだ。きみはいつも、すべてを意図の純粋性と気づきでまとめる」

「神秘主義！　神秘主義！」アナスタシアは笑いながら繰り返した。「あなたには私の考えていることがわかる。これこそファンタスティック！　素晴らしいわ！」

私も彼女の笑いころげる様子につられて我慢できず、ついに吹き出してしまった。「アナスタシア、きみはどう思う？　私の霊性の父であるフェオドリ神父は、もし私が会いに行ったら、受け入れてくれると思う？　話をしてくれるかな？　困惑しないだろうか？」

「もちろん、彼は受け入れてくれる。来てくれたことを本当に喜ぶわ。あなたがどんなふうであれ、彼はあなたを受け入れる。ただ、もし、あなたが自分の内にもともとある情報を用いて少なくとも何かをつかみ、何かを為《な》したら、彼はもっと大きな喜びを感じるはずよ。ウラジーミル、早送りのテープを止めてみて。そうすれば、あなたは多くのことを理解するようになる」

「私の父はまだ同じ修道院に住んでいるのかい？　トロイツェ・セルギー大修道院の？」

「あなたの父、この偉大なロシアの長老は、今は、トロイツェ・セルギー大修道院からさほど遠くない森の中の小さな僧院に住んでいる。僧院の戒律は修道院の戒律より厳しくて、あなたの父はそこの僧院長よ。僧院は森の中のとても美しい場所にある。

この森の僧院には、庵室《あんしつ》を備えたいくつかの小さな建物と、木造の教会がひとつある。教会には彩色が施されておらず、ドームのめっきははがれているけれど、それはとても、とても美しく、心地よく、清潔で、暖房用のストーブが二つ置かれている。たいていの教会のようにろうそくを売ったり買ったりということはしていない。

そこでは何ひとつ売り買いされることはない。誰も、そして何も、そこを汚すことはなく、教区民はこの僧院には入れない。フェオドリ神父はこの教会で、今、この瞬間にお祈りを捧げている。彼はすべての人々の魂と、あなたの魂の救いのために祈っている。

彼は親を忘れてしまっている子どもたちのために、そして、子どもたちに忘れられてしまっている親たちのために祈っている。彼のところに行っておじぎをしなさい。彼に許しを乞いなさい。彼の霊性の力はとても偉大。私のためにもフェオドリ神父におじぎをして」

「わかった、アナスタシア、そうしよう。それと、まずは、きみに頼まれたことをやってみようと思う」

＊　＊　＊

モスクワの北東にある、昔はザゴルスクと呼ばれていた小さな街、セルギエフ・ポサドに着いた私は、二十七年前と同じように、トロイツェ・セルギー大修道院の門をくぐり、現在使われている修道院への入り口にまっすぐ向かった。

以前は、自分の名を名乗りさえすれば、簡単にフェオドリ神父にとりついでもらえたが、今回は、当番の修道士が、フェオドリ神父は主席司祭ではないと答え、フェオドリ神父という人は修道院に所属しているが、修道院から離れた森の中に住んでいると言った。

そこを訪れる教区民はいないとのことだった。私は彼に、自分はフェオドリ神父をよく知っている者だと言い、彼を納得させるために、フェオドリ神父が私に見せてくれた、大修道院の聖なる品々の名前を言った。

すると彼は森の僧院の場所を教えてくれた。小さな木造の森の教会が近くなるにつれて、なぜか私の心は乱れ、落ち着かなくなった。その教会は、周りの自然にみごとに調和し、溶け込んでいて、このうえなく美しかった。教会からさほど離れていないところに、修道士のための木造の庵室がいくつかあって、それぞれから伸びる小道が教会につながっていた。

フェオドリ神父と私は教会の木造りのポーチで会った。「フェオドリ神父に会ったら、うろたえず、驚いたりしないように」と言っていたアナスタシアの言葉を思い出したが、それでも私は次第に混乱してきて、うろたえていた。何か混乱した感じはずっとなくならなかった。

フェオドリ神父は年老いて白髪だったが、二十七年前よりも年をとったようには見えなかった。二人してポーチに置かれた木に座り、黙ったままでいた。私は何か言おうとしたが、口にする必要のある言葉が見つからなかった。

いずれにしろ彼はすべてを知っている。何かを口にするのは意味のないことだった。まるで二人が別れたのは二十七年前ではなく、ついきのうのことのようだった。

アナスタシアについて書いた本を、フェオドリ神父にあげたくてもってきていたのだが、それもまだ彼に渡していなかった。私はこの本を多くの神父たちに見せてきたが、ある人々はそれを一瞥《いちべつ》して、われわれはこういう本は読まないと言った。またある人々は何について書いてあるのかとたずね、私が簡単に説明すると、アナスタシアは異端者だと言い放った。

私はフェオドリ神父を悩ませたくなかったし、彼がアナスタシアを拒絶するのを見たくなかった。誰かがアナスタシアのことを悪く言おうとすると、必ず私の中に敵意のようなものが込みあげてくるのだ。

私はノヴォスパスキー修道院（＊モスクワの南東部、モスクワ川のほとりに立つ修道院。革命後の一九一八年に閉鎖となったが、一九九一年に再びロシア正教会に返還された）の神父とさえ議論したことがある。彼は黒いスカーフに黒っぽい服をまとった二人の女性を指さして、「神を畏《おそ》れる女性とはああいう人たちを指すのですよ」と言った。

私は彼のその言葉にたいして、「アナスタシアが楽しげでいのちに満ちあふれているとしたら、神がそう願われているからです。いのちに満ちあふれた人々を見るほうが、あの二人のような、暗くうつむいた人々を見るより楽しいものです」と反論した。

私は内心動揺しながら本を取り出し、フェオドリ神父に手渡した。彼は静かにそれを受け取り、片方の手のひらに載せた。もう一方の手でゆっくりとそれをなで、両手で何かを感じ取っているようだった。そして、「私に読んでほしいかね？」とたずね、返事を待たずに、「よろしい、置いていきなさい」と言った。

二日後の朝、私は再びフェオドリ神父に会いに行った。森の中のとても小さなベンチに二人して座って、さまざまなことについて話をした。そこは彼の庵室の近くだった。彼の話し方は二十七年前と変わっていなかったが、ただひとつ奇妙なことがあって、それがずっと気になったまま、私は落ち着かなかった。なぜ、フェオドリ神父は二十七年前よりもむしろ少し若く見えるのだろう。そのとき突然、彼は深い思索の流れを絶つかのように口を開いた。

「ウラジーミル、きみのフェオドリ神父は亡くなったのだよ」

私は気が動顚《どうてん》したが、やっとの思いでたずねた。「それでは、あなたはどなたなのですか？」

「私はフェオドリ神父」と言って彼はかすかに微笑み、私をじっと見た。

もう一度、私はたずねた。「教えてください、彼のお墓はどこにありますか？」

「古い墓地に」

「そこに行きたい。行き方を教えていただけますか？」

彼は墓については答えず、ただ、「時間のあるときはいつでもここに来なさい」とだけ言った。

そのあと、まったく私の理解を超えたことが起こりはじめた。

「夕食の時間だ」とフェオドリ神父は言い、「さあ、行こう。ごちそうするよ」と私をうながした。私は狭い食堂のテーブルについた。テーブルにはボルシチの入ったなべと、魚にマッシュポテト、柔らかく煮込んだ果物が用意してあった。彼は私にボルシチをよそってくれて、私は食べはじめた。彼は食べずに、ただテーブルについていた。

ポテトを食べはじめたとき、飛びぬけて美味しいその味で私は思い出した。それは二十七年前に修道院の大食堂で食べたポテトとまったく同じ味だった。あれ以来私はこのポテトの味を忘れたことがなかった。頭の中がまた混乱して、ぐるぐる回りはじめた。

一方には、私のとなりに座っているフェオドリ神父はあのフェオドリ神父とは別人であるという事実があり、もう一方には、その話し方もふるまいもあのフェオドリ神父とまったく同じだという事実がある。

私はふと何年も前のある出来事を思い出した。修道院のある部屋に、フェオドリ神父と二人でいたときのことだ。彼は一緒に写真を撮ってもらおうと言い、私はそれを承諾した。フェオドリ神父はカメラをもった修道士を部屋の中に招き入れ、われわれ二人の写真を撮らせた。

私はここで、状況を明確にしようと決断する。修道士たちは写真を撮るためにポーズをとることを好まない、そのことを私は知っていた。

そこで私は、フェオドリ神父と森の教会をカラーフィルムで撮ることを彼に提案してみようと思ったのだ。もし彼がそれを拒んだら、それはあの私のフェオドリ神父ではない。私は言ってみた。「一緒に写真を撮りましょう」

フェオドリ神父はそれを拒まず、われわれは一緒に写真を撮り、さらに私は美しい教会の写真も撮った。私のカメラはきわめて簡易なものだったが、よく撮れていた。

私が修道院をあとにしようとしたとき、フェオドリ神父は小さな旅行用の聖書を私に贈ってくれた。中を開いてみると、たいていの聖書のように韻文調で書かれてはおらず、ふつうの本のように散文調で書かれていた。彼は説明してくれた。「きみの本に聖書から引用するときは、その引用箇所について、聖書の章を明記しないといけないよ」

私はフェオドリ神父に、アナスタシアに会いたいと言ってくる人々に会って話をしてほしい、そうすれば彼らがはるばる遠いシベリアのタイガまで旅する必要がなくなりますと頼んでみた。フェオドリ神父はそれにたいして、「なにしろ、私自身まだこれをすべて理解しているわけではない。さしあたり時間のあるときに、きみひとりで訪ねてきなさい」と答えた。

彼が私の要望を受け入れてくれなかったことに落胆を覚えたが、私はそれ以上は強く求めなかった。二人で別の話をしながら、私はある結論に達した。ロシアの修道院には、国内あるいは海外からの多くの改宗強要者たちとはまったく比較にならない、深い叡智を備え、簡潔明快に道を示してくれる長老たちがいるのだ。

それなのに、ロシアの長老たちよ、そのような叡智を授かっていながら、なぜあなたがたは黙しているのですか？　それはあなたがたご自身の考えによるのですか？　それとも闇の勢力が、あなたがたに口を開かせないのですか？　あなたがたは礼拝で人々が理解できない言葉で説教をします。

そのため多くの人が、自分の理解できる言葉で話してくれる宣教師の話を、お金を払ってまで聞こうとするようになるのです。おそらくこれが、多くのロシア人の群れが、海外の聖地巡りの旅に、自国の聖地を忘れて出かけて行く理由でしょう。

フェオドリ神父と共に時間を過ごしたあとはいつも、格別に満たされた心地よさを私は感じた。アナスタシアに会って以来、彼女の話した内容を理解するために多くの宣教師に会って話をしたが、フェオドリ神父は彼らよりはるかにシンプルで明確でわかりやすい話し方をした。私はほかの人たちにも、フェオドリ神父に会ってこの心地よさを感じてほしかった。

叡智を懐《いだ》くロシアの長老たちよ、あなたがたはいつ口を開いてくれるのですか？

愛の次元空間

アナスタシアについて書いた本の初版分が完売となって、印税を受け取った私は、現在は全ロシア博覧センターという名で知られている施設（＊モスクワの北東部にある、展示場や公園や娯楽施設を備えた広大な複合施設）に出かけていった。なぜか私は、ここで時間を過ごすのが好きだった。

美味しそうな匂いで誘惑してくるカウンター式軽食堂やシャシリク（＊肉の串焼き）の売店をいくつも通り過ぎながら、私はその美味しい食べ物を全部買いたいという欲望と闘っていた。ポケットにはお金が、それもかなりの額が入っていたが、私は倹約しようと決めた。

そのとき、信じがたいことが起こった。私はアナスタシアの声を聞いたのだ。大きくはないが、完璧に明瞭な言葉で彼女は言った。「ウラジーミル、何か自分で食べるものを買って。ほしいものを買って。自分自身に栄養を与えることを否定する必要はないわ」

私はそのままシャシリクの売店を数歩通り過ぎたが、再び彼女の声が言った。「どうして通り過ぎるの？　どうか、少し食べて、ウラジーミル」

「あきれたもんだ、なんという幻聴だ」と私は思った。

人々の群れから少し離れた遊歩道のベンチに向かい、そこに座って、ひとりごとを言っていると誰かに思われないよう、うつむいたまま、小さな声で言ってみた。

「アナスタシア、私は今、本当にきみの声を聞いているのかい？」

すぐに、それに答える彼女の声が、はっきりと明確に聞こえた。「あなたは私の声を聞いているのよ、ウラジーミル」

「こんにちは、アナスタシア。どうしてもっと前に私に話しかけてくれなかったんだい？　聞きたいことがたくさんあるんだ。読者の集まりでみんないろいろと質問してくる。私が答えられないものがいっぱいある」

「私は話しかけてきた。ずっとあなたと話をしようとしてきた。でもあなたは聞かない。あなたが自殺しようと決めた日、私は思わず叫びさえした。ひどく取り乱した。でも、どうにもならなかった。あなたに私の声は届かなかった。そのときある考えがひらめいて、私は歌いはじめた。地下鉄の駅でバイオリンを弾いていた二人の若い女性が、それに合わせてその曲を弾きはじめた。彼女たちは私の声を聞きながら、そのとおりに弾いた。

私がタイガであなたのために歌った歌……そのメロディを聞いた瞬間に、あなたは私のことを思い出した。あのとき私は本当にうろたえてしまっていて、ミルクが出なくなりそうだった」

「何のミルク？　アナスタシア」

「私の母乳よ。私たちのぼうやのための。ウラジーミル、私は彼を産んだのよ」

「産んだ……。アナスタシア、きみは今いろいろと大変なのかい？　たったひとりで小さい赤ん坊をかかえながら、タイガでどうやって生きているんだい？　彼は元気かい？　きみは『時期は少しずれた』って言ってたけど」

「万事大丈夫。春がいつもより早く目覚めて、私を助けてくれている。私たちの息子は元気よ。とてもたくましい子。もうにこにこ微笑んでいる。肌はあなたに似て少し乾燥気味だけど問題ないわ。一時的なものよ。

万事うまくいくようになる。あなたにもそれがわかってくる。今は私たちよりもあなたにとってきつくなる時期よ。それでも、もう一歩前進して本を書き終えて。

あなたがどれだけ大変な時期を過ごしたか、私は知っている。そしてこれからもきついときがやってくる。でも、あなたは続けなければならない。あなたの道を歩きつづけて」

「そうするよ、アナスタシア」

私は本を書くことはビジネスをするよりもきついとアナスタシアに言いたかった。私の家族と会社の状況――基本的には、昨年起こった、すべての予期せぬ運命の暗転について彼女に話したかった。

あやうく精神病院に入れられそうになったことを話したかった。これ以上彼女の夢で人々を誘い込まないよう意見を言いたかった。だが、私は思いなおした。どうして授乳中の母親を混乱させるのか、母乳が出なくなってしまうではないか。

そこで私は彼女に言った。「つまらないことは心配しなくていいよ、アナスタシア。私には特別困難なことはまったくない。考えてみて、私は本を書いたんだ。これは事業計画を作成するよりも簡単だ。

事業計画を立てるときは、非常にたくさんの異なる状況を前もって推測しないといけないが、本を書くときは、ただ椅子に座って、すでに起こったことを書けばいいのだから。チュクチ族（＊シベリア最北東部にあるチュクチ半島に住む人々。目にしたものをすべて歌で表現する原住民）についてのジョークに、『私は見たままを歌うのさ』というのがあるが、それと同じだ。

それに……ねえアナスタシア、たんなるファンタジーのように見えながら、きみの夢は現実になっている。信じがたい話だが、実際そうなっている。

ほら、このとおり、本は書かれた。きみがその本を夢に描き、今それが存在している。人々は関心をもって本当にその本を読んでいる。今や大都市の新聞がその本について書いている。

読者たちは、きみについて、自然について、ロシアについての詩を創作している。

トロイツェ・セルギー大修道院の宝物室には、きみと話したあの絵があった。あの絵は現存していて、『ひとりとしてのひとり』と題されている。私はあれを公表しようと思っている。

それと、あのバードが……私にバードの話をしたことを憶えてる？」
「憶えているわ、ウラジーミル」
「考えてもみてくれ、あれも、現実になりつつあるんだよ。ある読者の会で、ダークブロンドの髪をした男性が私のところにやってきて、カセットテープを差し出し、軍隊ふうのそっけない調子で言ったんだ。『アナスタシアに捧げる歌です。どうぞ受け取ってください』って。

その会に参加していたジャーナリストや読者やモスクワ・リサーチ・センターの準会員たちは、静まり返ってそのカセットを聴いた。

そのあと、また別の人たちにもそれが伝わって、彼らはそのカセットテープをコピーしはじめ、背の低いダークブロンドの髪の男性を探しはじめた。突然その場に現われて、また突然姿を消した彼を、誰もよく注意して見ていなかったんだ。

その男性は、アレクサンドル・コロチンスキーという名の、サンクトペテルブルグからやってきた潜水艦の将校で学者だということが判明した。

あとになって彼は、自分の乗った潜水艦が事故に遭遇したとき、どのようにして水面に浮上できたか、そして、どのように偶然の鎖がつながって、まるで当然のように着実に、あのカセットテープを私に手渡すに至ったかについて話してくれた。

アレクサンドル・コロチンスキーは、バード、吟遊詩人だということもわかった。彼の歌『神殿』にはきみが話した文章がそのまま入っている。こういうふうに。憶えてるかい？

信じてはいけない
誰かがすべては消え去っていくと言うとき
神殿を見る人は多いけれど
そこに入る人は少ない

人の一生は
さまざまな舞台で闘うレース
けれど　ひとりひとりが
自分で自分の舞台を選んでいる

それと、コロチンスキーは歌手にふさわしい声の持ち主ではなくて、実際にはただ歌詞を朗唱している感じだったが、それがかえって、きみが言っていた、見えない糸で人の魂につながっている言葉の力を証明していた。バードのコロチンスキーはこれを現実に証明してみせたんだ」

「ありがとう、バード。あなたが人々にもたらしてくれた明るい喜びと魂の浄化に感謝！」とアナスタシアは言った。

「考えてみて、また将校だよ。グルーシャも将校だし。彼は本を最初に印刷してくれた。さらに言えば、あのホームレス連隊長は本のために絵を描いてくれた。

そして、あのパイロットの連隊司令官は本の販売を手伝ってくれた。

さらに、最初に歌をもってきてくれたこのバードも将校だった。なぜきみの光線は将校たちの魂に火をつけるんだい？　ほかの人たちより多く彼らに光線を送っているのかい？」

「私の光線は多くの人に触れている。でも、熱い望みに火がつくのは、何か燃えるものがあるところよ」

「アナスタシア、きみの夢はいずれにしても現実になってきている。人々はそれに気づき、理解しはじめている。あのホームレス連隊長は理解した。彼には偶然会ったが、彼が死んでしまってとても悲しい。

彼が死んで横たわっているのを私は見たんだ。顔中が泥で汚れていたが、微笑んでいた。死んでいるのに微笑んでいた。きみが何かをしたのか？　きみの光線で？　微笑みながら死ぬなんて、いったいどういうことなんだい？」

「あなたと一緒だったあの人は……彼は今、あのバードと一緒よ。目には見えない、あの通路にいる。彼の微笑みは、鉛よりも恐ろしい銃弾から多くの人々を救うことになる」

「きみの夢は着実にわれわれの世界に入り込んできているよ、アナスタシア。そして世界は変わりはじめているように見える。ある人々がきみを感じ、理解した。彼らの中にどこかから力が湧き出てきて、彼らが少しずつ変化をもたらしているんだ。

世界はほんの少しずつ良くなりつつある。だが、きみは依然として、そこ、タイガの草地にいる。きみがわれわれの世界で生きられないのと同様に、私はきみの生きている環境の中では生きられない。

それなら、なぜきみの愛が必要だろう？　きみの愛は意味を成していない。それに今に至るまで、私はきみと私との関係性を理解できないでいる。共に一緒にいることは決してできない、それがはっきりしているのに、二人の関係にどんな意味がある？」

「私たちは一緒よ、ウラジーミル。いつも共にいる」

「一緒？　きみはどこにいるんだい？　ふつう、人が愛し合うときはいつもお互いのそばにいようとする。抱きしめたり、キスしたりするために。きみはふつうじゃない。きみにはそういうことは必要じゃないんだ」

「私はそういうことをとても必要としているわ。ふつうの人と同じように。そして私にはそれがあるの」

「どういうこと？」

「今もそう。感じない？　そよ風のやわらかな感触とそのやさしい抱擁。頬に触れる太陽の陽ざしの暖かさ。どんなふうに小鳥たちがあなたのために歌い、どんなふうにあなたの頭上の木の葉がさわさわと鳴っているか、よく聞いてみて！　いつもとちがう音じゃない？」

「でもそれは、今きみが言ったことは、全部誰にでもあることだよ。これがみな、きみだって言うのかい？」

「ひとりの人に向かって宇宙空間に解き放たれた愛は、多くの人の魂に触れることができる」

「なぜ愛を宇宙空間に解き放つんだい？」

「そうすれば、いつも愛する人のそばに、愛の次元空間が存在するようになる。ここに愛の本質と目的がある」

「まったく意味がわからない。それに、きみの声……これまで、こんな遠くにいてきみの声を聞くことはなかったのに、今は聞いている。どうしてなんだい？」

「離れていてあなたが聞くのは声ではないの。耳ではなく、ハートで聞かないといけない。あなたはハートで聞くことを学ぶようになる」

「きみはいつだって今みたいにきみの声で話せるのに、どうしてハートで聞くことを学ばないといけないんだい？」

「私はいつもこういうふうに話せるわけではないの」

「だけど、今きみは話してるじゃないか。聞こえるよ」

「今は祖父が助けてくれている。彼としばらく話をしてね。私たちの息子に授乳しないといけないし、ほかにもやるべきことがたくさんあるの。それをどうしても全部やりたいから」

「じゃあ、きみのおじいさんは私と話すことができて、きみはできないということかい？　どうして？」

「祖父は今あなたの近くのどこかにいるのよ。すぐそばに」

「どこに?」

アナスタシアの祖父

私は左右を見回した。アナスタシアの祖父は店のすぐ横に立っていて、誰かが芝生の上に捨てた紙くずを、杖で拾ってごみ箱に捨てようとしていた。私は跳びあがった。二人は握手を交わした。

その目は明るくやさしく、彼は一緒にいても気をつかわなくてすむ人だった。アナスタシアの曾祖父とはそこがちがっていた。タイガで曾祖父に会ったときは、彼はずっと黙っていて、彼の目は、まるで私を通り抜けた先の空間を見つめているようだった。

アナスタシアの祖父と私はベンチに座り、私はまずたずねた。「どうやってここまで来られて、私を見つけたのですか？」

「アナスタシアの助けがあれば、それはさほど難しいことではないよ」

「驚きました、彼女は出産したんですね。出産するだろうとは言っていたけれど、本当にそうした……たったひとりで、病院ではなくタイガで。ひどく苦しかったんでしょうね？　彼女は泣き叫びましたか？」

「なぜ苦しかったはずだと思うのかね？」

「ええと、女性が子どもを産むときは苦しいものだから。分娩中に亡くなる人だっている」

「罪の中で、肉的な快楽の結果として身ごもった場合は苦痛しかない。その女性は分娩時の苦痛と、そのあとの人生の苦痛とで償いをすることになる。妊娠が、それとは別の熱い望みのもとにもたらされたなら、出産の痛みは、その女性の大いなる創造の喜びの感覚を、さらに強化するだけだ」

「痛みに何が起こるんですか？　どういうふうにそれが喜びを強化できるんです？」

「女性はレイプされるときに何を経験する？　痛みはもちろんだが、それと激しい嫌悪感だ。だが、彼女が進んで自身を与えるときは、同じ痛みがまったくちがった感覚へと変化する。出産におけるちがいも、これと同じなんだよ」

「アナスタシアは、痛みもなく出産を終えたということですか？」

「もちろん、痛みはなかった。それに、彼女は自分で適切な日を選んだ。暖かくて、陽ざしが明るい晴れた日をね」

「どうやって日を選んだのですか？　だって、女性は突然出産の日を迎えるのでしょう？」

「彼らが不注意に妊娠した場合は突然その日はやってくるが、本来なら母親はいつも赤ちゃんの誕生を数日遅らせたり早めたりできるのだよ」

「あなたは彼女の出産予定日を知らなかったのですか？　彼女を助けようとはしなかったのですか？」

「われわれがそれを感じ取ったのはその当日だった。よく晴れた素晴らしい日だったよ。二人で彼女の草地に行った。草地の縁のところにあの熊がいた。熊は攻撃姿勢をとりながらほえていた。ほえながら、あらん限りの力で地面を前足で激しくひっかいていた。アナスタシアは母親が自分を産んだ場所と同じ場所に横たわっていた。小さな赤ん坊が彼女の胸の上に息づいていた。子ども狼《おおかみ》が彼をなめていた」

「でも、なぜ熊はほえていたんだろう。何に怒っていたのですか？」

「アナスタシアが、自分ではなく子ども狼を呼んだからだよ」

「熊は自分で彼女のところに行けるのに」

「彼らは依頼がなければ決して彼女に近寄らない。想像してごらん。もし彼らが依頼なしに、いつでも好きなときにアナスタシアに近寄れるとしたら、大混乱が生じるよ」

「彼女は今、息子とどんなふうに暮らしているんだろう」

「もし、心配なら、行って見てきてごらん」

「彼女は、私がこっちで自分の何かを浄化するまでは、息子のそばにいるべきではないと言ったんです。まず、私は聖地巡礼をすべきだと。でも、私にはそれをするお金がないのです」

「あの非論理的な女性の言ったことを、どうしてそんなに気にしているのかね？　きみは父親なんだ。自分で正しいと思うとおりに行動すべきなのだよ。望むなら、息子にあらゆる種類のベビー服とおむつと小さな上着とガラガラを買ってあげていいんだ。ふつうの人と同じように息子に服を着せるように、彼を困らせないようにと彼女に要求していいんだよ。そうしないと、彼は森の中でまったく裸で暮らすことになる」

「私は息子のことを聞いた瞬間に、すぐにでも彼に会いたいと思いました。必ずそうします。あなたがアナスタシアは非論理的だとおっしゃったのは核心をついています。私が彼女にたいして説明しがたい気持ちをもっている理由は、そこにあるのだと思います。彼女にたいして、はじめは驚きの気持ち、今は尊敬の気持ちを抱いていますが、それでもまだ、自分でも理解できない何か別のものがあるのです。

でも、それは女性にたいする愛情とはちがうものです。昔、ある女性と恋に落ちたときに感じたものを憶えていますが、今の気持ちはそれとはちがうんです。彼女をふつうに愛することはたぶん不可能でしょう。何かがじゃまをするんです。たぶん、じゃまをするのは彼女のもつ非論理性なのだと思います」

「ウラジーミル、アナスタシアは論理を超えているのであって、愚かなわけではない。彼女の表面に現われる非論理性は、宇宙の深みから取り出された、今は忘れられているスピリチュアルな法則からくるもので、さらにその非論理性が新しい法則を生み出しているのかもしれない。

光の勢力も闇の勢力も、アナスタシアが論理の枠を超えたところに立っているように見えるので、ときどき自らの立場を見失って立ち去ってしまうが、そのあと突然、すべての人に知られている、存在の単純な真実があらためて炎のように輝き出す。われわれも、孫娘でありながらいつもアナスタシアを理解できるわけではない。われわれの目の前で成長してきたが、いつも理解できているわけではないので、彼女を実質的に助けられないでいる。

そのため、彼女は心に抱く熱い望みにおいて、たいていいつも孤独だ。完璧な孤独の中にいる。彼女はきみに会って、きみと、そのほかの多くの人々に、本をとおしてすべてを開放した。われわれはそれを止めたかった。彼女の愛を止めたかった。彼女の選択は不可解でこっけいにさえ思えた」

「今でも私は彼女の選択を理解していません。読者からもよく聞かれます。『あなたはいったい誰ですか?』『なぜアナスタシアはあなたを選んだのですか?』と。私は答えられないのです。彼女のそばには科学者か宗教家がいてあげたら最適なのにと思っています。

そういう人なら、彼女を理解できるし、愛することもできる。二人でもっと多くの良きものをもたらすことができる。ところが私は、自分の人生を変えないといけないし、もっと賢明で啓発された人ならばとうの昔に知っているようなことまで、一から整理して考えないとわからない」

「きみは自分の人生が変わってしまったことを後悔しているのかね?」

「よくわかりません。私はいまだに、これらすべてのことの意味を理解しようとしている段階なんです。彼女がなぜ私を選んだかという問いについては、答えられません。その答えを探してきましたが、見つかっていません」

「どうやって答えを探してきたのかね？」

「内面を見つめて自分が何者なのかを探ろうとしてきました」

「きみには何か特別すぐれたところがあるのかもしれない。そういうことかな？」

「何かあるのかもしれないとも思います。類は友を呼ぶと言いますし」

「ウラジーミル、アナスタシアはプライドという自尊心、おごりと自己中心性についてきみに話したかね？　この罪のもたらす結果についても」

「ええ、それは死をもたらす大罪で、人を真実から遠ざけるものだと彼女は言いました」

「彼女はきみを選んだわけじゃないのだよ、ウラジーミル。今は役に立たなくなってしまって誰も必要としないものを拾うように、彼女はきみを拾いあげたのだよ。われわれもすぐにはそれがわからなかった。傷ついたかな？」

「まったく同感とは言い難いです。私には家族、妻と娘がいましたし、私のビジネスも順調でした。特別すぐれたところはないにしても、乞食《こじき》や、誰にも必要とされず見捨てられた人のように、拾いあげてもらわなければならないほどひどい状況ではありません」

「最近は、きみと奥さんとの間に愛情はなくなっていた。きみにはきみの生活と関心事があり、奥さんには奥さんの生活と関心事があった。ただ決まりきった日常の繰り返しによって、もっと正確に言えば、過去の感情――これもまた時とともに色あせ、失われていっていたが――の惰性によって、二人はただ一緒にいた。

きみと娘さんはお互いまったく話すことがなかった。きみのビジネスは彼女の関心を引かなかった。ビジネスは、きみにとってだけ重要なものだった。それは収入という形で物質的なものをもたらしたが、今日の収入が明日にはゼロとなり、損失や破産となるリスクはつねにある。

そして、きみは病気になっていた。あやうく胃をだめにするところだった。自堕落な生活習慣を続けていたきみは、決して自分の病気から這い出ることはできなかったはずだ。すべてが終わりだった。何も残っていなかったんだ」

「それがあなたがたと何の関わりがあるのですか？　彼女は何のために私を必要としているんです？　実験ですか？　どんな計算が彼女にあったというのですか？」

「彼女はただ単純にきみを愛するようになったのだよ、ウラジーミル。彼女がすべてにたいしてそうであるように、心の底から誠実に。そして彼女は、ほかの女性に喜びを与えられる人を、あなたがたの世界から取ってしまわなかったことに、幸せを感じている。彼女は自分を特権的な立場に置くことはしなかった。彼女はすべての女性たちと同じようにしていることが嬉しいのだよ」

「これは彼女のちょっとした思いつきだと言うんですか？　すべての女性たちと同じようにして

いたいと？　私はタバコを吸ったし好き勝手にやってきた……考えてみてください！　たんなる思いつきにたいして何たる自己犠牲だ！」

「彼女の愛は心からのもので、思いつきでも打算でもない。はじめは、彼女の行動は光の勢力と闇の勢力の双方にとって、そしてわれわれとほかの人々にとっても、非論理的に見えた。だが現実には、彼女は愛の概念と意味に輝かしい光を降り注いだ。言葉や教えや倫理上の説教などによってではなく、実際に、きみの人生に変革をもたらすことによって。

彼女の愛をとおして、光の勢力と創造主は人々に語りかける。語りかけるだけではなく、いまだかつてなかった方法で命を目覚めさせ、それによって、その愛を明らかに示す。『見なさい、女性のもつ力、純粋な愛の力がどういうものかを』とね。

死の一瞬前に、彼女は新しい命を与えることができる。彼女はその大切な人を抱きあげ、鷲のような闇の爪から彼を引き離し、永遠の光の世界へと運んでいくことができる。彼女はその人を愛の次元空間で包み、第二の命、すなわち永遠の命を与えることができる。

ウラジーミル、彼女の愛はきみの奥さんの愛情と娘さんの尊敬を取り戻すようになるよ。何千人もの女性たちが、きみを熱烈な視線で見つめるようになり、きみは完全に自由な選択権を得るだろう。そのとき、外に現われたさまざまな愛のかたちの中から、きみがこの愛を見つけ、理解することができたら、アナスタシアは幸せを感じるだろう。

いずれにしても、きみは有名になり金持ちになる。きみが破産する可能性はまったくなくなる。

きみが書いた本は世界中に飛んでいき、きみに富をもたらすだけではなく、物質的な力や身体的な力よりももっと偉大な力を、きみにも他の人々にも与えてくれるだろう」

「本はたしかによく売れはじめています。でも、本は私が自分で書きました。ある人々はアナスタシアも何らかの方法で手伝ったのだと言っていますが。あなたはどう思われますか？　これは私ひとりの本ですか？　それとも彼女と一緒に書いたものですか？」

「きみはひとりの作家がとおる全行程を自分で歩いた。紙を選び、その上にペンを走らせながら、起こったことを描写した。いくつかの自分の推論を、きみだけに特徴的な言葉で述べた。出版に向けて準備をし、手配をした。きみのとった行動はすべて、ひとりの作家がふつう行なうものとなんらちがっていない」

「この本は私ひとりのものだという意味ですか？　アナスタシアは何もしなかったと？」

「そうだよ、何もしていない。彼女は紙の上にペンを走らすことはしなかった」

「その言い方は、それにもかかわらず彼女は何らかの方法で手伝ったというように聞こえます。もし、そうなら、もっとはっきり言ってください。彼女は何をしたのですか？」

「アナスタシアはきみがこの本を書けるように、自分の命を捧げたのだよ、ウラジーミル」

「ほら、またそういうことですか？　これはもう完全に理解不能です。どうしてですか？　どうやって彼女は、森の中に住みながら、本などのために自分の命を捧げることができたのですか？　彼女はいったい何者なのですか？　彼女は自分を『人間』だと言い、他の人たちは彼女を宇宙人だとか女神だとか呼んでいます。これでは完全に混乱してしまいます。何らかの明快な答えにたどり着きたいのに」

「すべてがとても単純明快なことなんだよ、ウラジーミル。人間は存在するすべてのレベルの次元に同時に生きることができる宇宙で唯一の存在だ。地球的存在次元において生きている大部分の人は、地上の物質化された現象のみを見るが、それ以外の目に見えない本質も同様に感じ取る人々がいる。

アナスタシアを女神と呼ぶ人々は真実の前に罪を犯しているわけではない。人間と、人間以外の存在するすべてのものとのちがいは、人間は意識の中で、最終的に物質化する形とイメージを創出することによって、現在と未来とを創り出すことができるということ。

未来は、創造者である人間の意識の、鮮明さと調和の度合いと速さと意図が、どれだけ純粋であるかによって決定される。この意味において、アナスタシアは女神だと言える。なぜなら彼女の意識の速度も、彼女が形づくるイメージも、非常に鮮明で純粋なので、彼女だけが、敵対する闇の集団のすべてに対抗できるということを証明しているからだ。

彼女たったひとりで。しかしながら、彼女がどれだけ長く、この状況を持ちこたえられるのか、われわれにはまったく見当がつかない。彼女は人々がこれを理解して彼女を助け、暗闇と地獄を生み出すことをやめるようになると信じつづけ、待ちつづけている」

「誰が暗闇と地獄を生み出しているのですか？」

「大災害と世界の終わりを信じて説く占い師たちは、自ら世界の終わりという想念と形とを生み出している。こうして、全人類の滅亡を説く多くの予言は、それを想い、形づくることによって、じつはそれをより近くに引き寄せている。こうした人々があまりにたくさんいて、彼らは自ら救いと約束の地を探し求めているから、自分たちのために地獄が用意されているとは考えたこともないのだ」

「しかし、最後の審判や大災害について話をする人々は、自らの魂の救いのために心から熱心にお祈りしているじゃないですか」

「それは、光と神そのものである愛――神は愛によって動かれる――に根ざした信仰ではなく、恐怖に根ざした信仰なのだよ。おまけに彼らは、この恐怖のシナリオをわざわざ自分たちのために準備しているんだ。考えてごらん、ウラジーミル。想像してごらん。ここできみと私はこのベンチに座っている。今、きみの目の前にはたくさんの人々がいるね。

突然、そこにいる人たちが数人、苦しい発作に見舞われたように体を二つに折り曲げて苦しみだす。彼らは罪びとたちだったとしよう。周りを見回すと、たくさんの死体が転がり腐敗していっている。だが、きみと私にはまったく何事も起こらず、その様子をじっと見ながら座っている。

このベンチは天国にあるようだ。しかし、この恐ろしい惨状を目にしているきみの魂は破裂しそうにならないかい？　そんな光景を見る前に死んでしまうか、眠り込んでしまったほうがましだと思わないかい？」

「でも、もし救われた正しい人たちが全員、腐敗していく死体や恐怖の場面とは無縁の、約束の地へと運ばれていったら？」

「遠い大地の果てから、きみにとって大切な誰かの死を告げる知らせが届いたら、きみの魂は悲しみと痛みを感じないだろうか」

「たぶん誰だって取り乱すでしょう」

「それなら、大部分のきみの同郷の人たちや友人や親せきがすでに亡くなり、ほかの人たちもひどい苦しみの中で死にかけている、そういう状況のときに、それを知っていながら、自分自身の天国のことなど、どうやって考えられる？

何が起こっているかを知りながら、自分だけ喜んでいるためには、魂は、いったいどのレベルまで非情で無感覚でなければならないか、どれほど深く暗い淵の中に自ら飛び込まなければならないか。そういう魂を、光の王国は必要としていない。なぜなら、暗闇を生み出しているのは彼らだから」

「それなら、なぜさまざまな教えを書き記してきた人類の偉大な教師たちは、世界の終わりと最後の審判について語るのです？　そういうことなら、彼らはいったい何者なのですか？　彼らは人々をどこへ導こうとしているのです？　なぜ彼らはこういう話の進め方をするのですか？」

「彼らが何を意図しているのかはっきりはわからない。だがおそらく、自分の周りに群集を集めて、その教えがもつ魅力によって、やがて人々に意識の転換をもたらすことが彼らの意図ではないかと思う」

「今生きている人は、人々の意識に転換をもたらすこともできるでしょう。でも、過去に現れた人類の教師たち、彼らはなぜそういうことを教えとして後世に残したのですか？」

「彼らもまた、自分の弟子たちが、やがて意識の転換を遂げて、真実を明らかに示すであろうという望みを抱きつつ、それを準備することはできたはずだ。たぶん彼らは待っているのだ。歩んでいる道の先が行き止まりであることに、大多数の人々が気づかされる事象が現われてくることを。そしてそれが自分の教えを信じて従ってくる人々を光に向かわせる助けになることを」

「もしあなたがこういうことすべてを知っていたなら、なぜ、長年の間、森の中にいて、黙っていたのですか？　なぜ、もっと前に誰かに説明しようとしなかったのですか？　アナスタシアは、あなたの一族はそのユニークな生き方を、数千年も貫いてきたと言っていました。根源なるものの真実を世代から世代へと受け継ぎ、大切に守りながら」

「人間だけに生まれつき備わっている能力を大切に守りながら、非技術主義の生き方を守ってきた人々は世界のあちこちにいる。

　歴史上のさまざまな時点で、彼らは自分たちの気づきを他の人々に分かち与えようとしてきた。だが彼らはいつも、本質的なことを話す前に滅んでしまった。彼らは強力な意識の形とイメージとを人々に示したが、あまりに多くの人々が彼らに反対した」

「ということは、人々はアナスタシアをも踏みつけ、滅ぼすだろうということですか？」

「アナスタシアは何らかの不可解な方法で、彼らに対抗できている。少なくともこれまでのところはね。おそらく彼女の非論理性、あるいは……」と言って、老人はふと黙り込んだ。どこか悲しげな様子で、杖を使って地面に何か意味不明なシンボルを描いている。

私はちょっと考えてからたずねてみた。「なぜ彼女は私に『私は人間よ、女性よ』と繰り返すんですか？　あなたが言うように、もし彼女が女神なら」

「地上での肉体をもった生活においては、彼女はふつうの人間でふつうの女性だよ。彼女の生き方はいくぶんふつうではないけれども、彼女はほかのすべての人々と同じように、喜びに満たされたり、悲しみに打ちひしがれたり、愛し愛されることを望んだりできるんだ。彼女がもっているすべては、人間にもともと備わっているもの。人間の本来のありようなんだ。

あまりに奇妙で、きみを驚かせた彼女の能力は、きみにとって今はさほど奇想天外なものではなくなった。なぜなら、きみはそれについて科学が語るところを聞いたから。科学者たちはこれからも、彼女のさらに多くの能力について、今のところは不可解であっても、いずれ説明できるようになる。彼らはみな、彼女がふつうの人間であり、女性であることを証明しようとする。

見ただけでは理解できないひとつの現象があるのだが、いずれきみはその現象に遭遇する。科学もそれについては説明することができないだろう。私の父さえそれが何なのかわかっていない。こうした現象は一般的には重力異常とか超常現象などと呼ばれるものだ。だが、ウラジーミル、頼むから、この現象をアナスタシアと同一視しないでほしい。

それは彼女のそばで起こるが、彼女の内で起こるものではない。彼女の内に人間を見出し、感じる力をきみ自身の内面に見つけてほしい。彼女はほかのみんなと同じようでありたいと願い、そのように努力している。何らかの理由で、彼女は自分が人間であると証明することが大切であり、必要だと感じているのだ。

だがこれは彼女にとってとてもきついことだ。なぜなら、そうする過程においても、自分を自分たらしめている本質には背《そむ》けないから。誰だって自分を自分たらしめている本質をもっているものだろう？」

「あなたにも解明できていないその現象、科学も説明できないその現象とは何なのですか？」

「われわれがアナスタシアの両親を埋葬したとき、彼女はとても小さくて、歩くことも話すこともまったくできなかった。父と私は動物たちの助けを借りながら地面を掘り、穴の底に小枝を敷き、その上にアナスタシアの両親の遺体を置いて、草で覆い、土をかけた。

二人は盛り土の墓を見おろしながら黙って立っていた。小さなアナスタシアは、手の上を這っている一匹の昆虫をじっと観察しながら、われわれのすぐそばの草の上に座っていた。彼女が自分を襲った悲しい出来事をまだ理解できなくて本当によかったとわれわれは思い、それから、そっとそこを離れた」

「どういう意味ですか？『離れた』って。まだ何もわからない小さな女の子を捨ててきたって言ってるんですか？」

「われわれは彼女を捨てたんじゃない。アナスタシアの母親が彼女を産んだ場所に彼女を置いてきたのだ。われわれには『シャンバラ（＊チベット語で幸福の源を意味し、理想の仏教国を表す）すなわちホームランド』という概念がある。ロシア語で母国を意味するロディナは『誕生』や『起源』を表すロドからきている。つまり、母を表す言葉だ。

子どもがこの世に生まれる前に、両親はその子のための次元空間、すなわち善意と愛の空間を形成しなければならない。そして彼にひと握りのホームランド、つまりロディナの土地の一角を与えなければならない。その土地は母の胎《はら》のように彼の体を守り、魂にやさしさを授ける。さらに、宇宙の叡智を与え、彼が真実をつかめるように援助する。

石壁に囲まれた部屋で出産を迎える母親は生まれてくる子どもに何を与える？　彼女はどんな世界を彼のために準備してきた？　彼女ははたして、自分の子どもが生きていかなければならない世界について、考えることがあったのだろうか？　世界は好き勝手に彼を扱うようになるのだ。世界はその小さな人間を支配し、ひとりの奴隷ひとつの歯車に仕立てあげていく。母親は、生まれてくる子のために愛の次元空間を準備しなかったために、たんなる観察者になってしまう。

わかるかな、ウラジーミル。アナスタシアの母親をとりまいていた自然と、大小さまざまな野生動物たちは、彼女が、友人のように、周りに愛の空間を生み出す賢くてやさしい女神のように生きたので、そのように生きるすべての人に彼らが接するやり方で彼女に接したのだよ。

アナスタシアの両親は、明るくやさしい人たちだった。彼らは深く愛し合っていた。彼らは地球を愛していた。彼らをとりまいていた次元空間は彼らの愛を受け、それを彼らに返した。小さなアナスタシアはこの愛の次元空間に生まれてきて、その中心的存在になった。

多くの野生動物は決して生まれたばかりの赤ん坊を傷つけない。猫は子犬に、犬は子猫に授乳できる。多くの野生動物は人間の子どもに食べ物を与えたり乳を飲ませたりできる。だがきみたちの世界では、野生動物は荒々しく危険な存在になってしまった。

アナスタシアの父親と母親にたいしては、動物たちは異なる意図をもち、まったく別の接し方をした。アナスタシアの母親は草地で彼女を産み、多くの動物たちがそれを見守っていた。彼らは尊敬する人間の女性が、母親になり、もうひとりの人間を産み出す場面を見た。

彼らがその出産を見たとき、人間の友だちにたいして抱いていた気持ち、つまり彼女への愛情が、彼ら自身の母性本能とまざりあい、新鮮で高貴な、光の何かを生み出した。

周囲のすべての、完璧にすべての次元空間が、最も小さな昆虫や草の葉から、見かけは威嚇《いかく》的な野生動物に至るまで、ためらうことなく、この生まれ出てくる小さな存在に自らの命を与えようと待ちかまえていた。

母が創り出して与えてくれたホームランドの次元空間が、小さなアナスタシアの周り一帯を包み、そこにいる彼女をおびやかすものは何ひとつなかった。周りの誰もが、この小さな人間に食物を与え、愛情を込めて育てた。

アナスタシアにとって、その小さな草地は母の胎のようなものだった。そこは彼女の生きているホームランド。力強くやさしく、人間の手によらない生命たる糸で、宇宙――偉大な創造主による創造のすべて――にしっかりとつながれた場所だった。

その小さな草地は彼女の生きているホームランド。彼女の父と母と唯一無二の父なる神から彼女に与えられた遺産だった。われわれがそれにとって代わることはできなかった。そのため、われわれは彼女の両親を葬ったあと、その場を離れたのだ。

三日後に草地に向かったが、その途中で、空気が張りつめているのを感じ、狼たちがまるで馬のいななきのように高くほえるのを聞いた。そして草地に着いたとき、われわれは見たのだ。

小さなアナスタシアは両親を埋葬した盛り土の上に静かに座っていた。片方の頬が汚れていたので、墓地の上で寝ていたことがわかった。彼女の目から涙があふれ出て頬を伝い、盛り土の上に落ちていた。ときどきしゃくりあげながら、ほとんど声を出さずに泣いていた。小さな手で墓の盛り土をずっとなでていた。

話すことができないのに、彼女は最初の言葉をこの盛り土に向かって発した。われわれはそれを聞いた。はじめ、彼女はそれを音節ごとに発音した。『マ・マ』と言い、次に『パ・パ』と言って、それを数回繰り返した。

そのあと、彼女はもっと複雑な言葉を口にした。「マ・モッチ・カ、パ・ポッチ・カ、マ・モッチ・カ、パ・ポッチ・カ（＊ロシアで使われている「ママ、パパ」の愛称のようなもの）、わたし、アナスタシア。パパもママもいないけど、わたしずっとここにいるのね？　おじいちゃんたちだけといるのね？」

最初に気がついたのは私の父だった。二人で彼女の両親を埋葬していたとき、小さなアナスタシアは草地に座り、昆虫を観察しながら、彼女に降りかかった悲しみの深さのすべてをとらえ、理解していたのだと。彼女はわれわれをうろたえさせないために、ありったけの意志の力で、自分の気持ちをわれわれに見せないよう努めていたのだ。

彼女は母の母乳から根源なるものの叡智と力を吸収していた。ウラジーミル、赤ん坊に乳を飲ませる母親というものは、そういう機会に恵まれている存在なのだよ。彼女たちが授乳をとおして与えるものは、お乳だけではない。根源なるものから流れてくる本質にたいする理解と、時代が積み重ねてきた叡智とを、自分の子どもに与えることができる。

アナスタシアの母親は、これがどのようにして為されるのかをよく知っていたので、この方法を完璧なまでに活用した。

アナスタシアは自分が泣いているところを見られたくないのだ。それを知ったわれわれは草地に入らず、墓にも近づかなかったが、その場を離れることができなかった。二人で立ったまま、そこで起こっていることをじっと見ていた。

幼いアナスタシアは、小さな両手を盛り土の上に置いて、小さな足で立とうとしていた。最初はうまくいかなかったが、とうとうなんとか立ちあがった。

ゆらゆらと揺れながらやっと立ち、両腕をほんの少し横にあげながら、彼女はついに、両親の墓所からおそるおそる人生最初の一歩を踏み出した。それからもう一歩を踏み出したとき、彼女の小さな足は草の中でもつれ、小さな体はバランスを崩して倒れそうになった。だが、そのあとの様子が……ふつうではなかった。

彼女が倒れそうになった瞬間、突然、かすかな青みがかった光が草地を照らし出し、彼女のいる場所だけ地球の重力が変わった。その光はやわらかな温かさでわれわれにも触れた。

アナスタシアの小さな体は倒れず、ゆっくりと穏やかに地面に降りた。彼女がもう一度両足で立ったとき、青い光は消え、重力は正常に戻った。

一歩一歩注意深く前に進み、定期的に立ち止まりながら、アナスタシアは草地に落ちていた小枝のところまで行き、それを拾うことができた。われわれは気がついた。彼女は、母親がいつもやっていたように、草地をきれいにしようと決心していたのだった。

まだ本当に小さな女の子が、乾いた小枝を草地の端に運んでいた。だが、彼女は再びバランスを崩して倒れそうになり、小枝を落とした。

そのとき、青い光が再びぱっと燃えあがるように広がり、地球の重力がまた変わり、その小枝は、草地の端に積み重なっている乾いた枝の上に飛んでいった。

アナスタシアは立ちあがり、小枝を探したが見つけられなかった。すると彼女は両腕を横に広げ、もうひとつ別の小枝に向かってゆっくりとよちよち歩きをはじめた。彼女がそれをつかもうとしてかがむ前に、まるでそよ風がもちあげたかのように、小枝は再び空中に舞いあがった。

小枝はそのまま草地の端に飛んでいった。そのとき、小枝が吹き飛ばされるほどの風は吹いていなかった。見えない誰かが、幼いアナスタシアの願いを実行に移してくれていたのだ。だが彼女は、母親がやっていたように、何でも自分でやりたかった。おそらく、見えない協力者からの助けに抵抗したのだろう、彼女は小さな腕を上にあげて、かすかに振った。

思わず上を見あげたわれわれの目に、「それ」は飛び込んできた。草地の上にただよい、脈打ちながら青い光を発している、小さい球状のかたまりだ。多彩な稲妻のように、たくさんの炎のような閃光が、その半透明の膜の内側で矢のように走っていた。それは球電光（＊雷雨時にごくまれにみられる火の玉状の電光）を大きくしたもののように見えた。だが、なんと、それは知性をもっていたのだ。

われわれはその知性が何によって成り立っているのか、それが何なのかまったくわからなかった。

今日まで誰も知らず、誰も見たことのない力がそこに秘められているのを感じ取ったが、恐怖感はまったくなかった。それどころか、そこから発せられていたのは、やわらかな温かさを感じさせるもので、われわれはその場を立ち去りたくはなかった。ただそこにじっとしていた」

「なぜあなたは、『それ』が今だかつてなかった力をもっていると結論づけたのですか？」

「父がそのことに気づいた。その日は晴天で、太陽は輝いていたのに、木々の葉も花びらも、太陽ではなく、この物体のほうを向いていたのだ。その青みがかった光が太陽の光線よりも強力な力をもっている証拠だ。

『それ』はまた、アナスタシアの小さな体が倒れかかった瞬間に、地球の重力を、その部分だけ正確に変化させた。非常に正確だったため、彼女は地球との接点を失うことなく穏やかにゆっくりと地面に降りることができた。

アナスタシアは小枝を集めるのに長い時間を費やしていた。ときどきハイハイをし、ときどきゆっくりよちよち歩きをしながら、落ちているすべての小枝を自分できれいに拾い、片づけ終わるまで、草地じゅうを動き回っていた。火のような脈打つ球体は幼な子の動きに合わせて動いていたが、彼女が小枝を掃除するのを手伝うことはもうしなかった。その強力な球体は、幼な子の小さな手が示したジェスチャーを理解し、それに従っているように見えた。

球体の中にある、何か未知のものの働きで現われたり消えたりするエネルギーのように見える閃光を収縮させたり発生させたりしながら、その球体は、この次元空間で膨張したり、溶解して薄れたりし、一瞬見えなくなったかと思うと再び現われるのだった。一瞬消えて再び現われるときは、まるで何かに焦りながら、想像を超えたスピードで宇宙空間を疾走してきたという印象だった。

アナスタシアにいつものお昼寝の時間がやってきた。われわれは決して、子どもたちを、めまいがするほど揺らして強引に寝かしつけるようなことはしない。寝るときがくれば、アナスタシアの母親は草地の端の、いつも同じところにただ横になり、彼女に手本を見せるように、眠っている姿を見せた。

幼いアナスタシアは、母親のところに這っていき、彼女の温かい体に自分を押しつけて、やすらかに眠りに落ちた。今回も、アナスタシアは母親と一緒に昼寝をした場所に行った。彼女はそこに立ち、その時間になると母親がいつも眠っていた場所を見たが、ママはそこにいなかった。

そのとき彼女が何を考えたのか、われわれにはわからなかったが、再びアナスタシアの小さな頬を一粒の涙が伝い、太陽の光にきらめいた。その瞬間、青い光が不規則に明滅しながら、草地全体に脈打ちはじめた。

アナスタシアは上を見あげて、脈打つ雲のようなものに気づき、草地に座って『それ』をじっと見つめていた。彼女の視線の先の『それ』も、じっと動かなかった。しばらく見つめていた彼女は、野生動物の一匹をそばに呼ぶときのように、両腕を『それ』に向かって差し出した。

そのとき、その球体は、無数の強烈な稲妻を発してぱっと輝き、自身の青い膜の境界を破って、燃えるほうき星さながらに彼女の小さな両手に向かって飛んできた。

『それ』は通る道のすべてをきれいにするらしく、一瞬にしてアナスタシアの顔の横にきて回転し、その稲妻のような電光が、彼女の頬の上にきらめいていた涙の粒をぬぐい去ったように見えた。すべての閃光がその瞬間に消え、球体は草の上に座っていた幼子の両手の上で青い光を放っていた。

しばらく、アナスタシアはその青い球体をもったまま、じっと観察し、なでていた。それからそっと立ちあがり、『それ』を高く掲げるようにしながら、用心深くよちよち歩きで運び、いつもママと寝ていた場所に『それ』を置いた。彼女はもう一度『それ』をなでた。

『それ』はママがいつもそうしていたように、そこに横になって眠っているように見えた。アナスタシアはそのとなり、草の上に横たわった。彼女は草の上にボールのように体を丸くして眠っていた。球体は突然上空に向かって高く飛び、見えなくなったが、そのあと、草地全体に低く溶けるように広がっていった。それ自身で彼女を包んだようだった。

そのあと再び小さく、『それ』は縮んで、脈打つ球体になり、草の上に眠っているアナスタシアのとなりに落ち着き、彼女の髪をなでた。そのなで方は奇妙でユニークだった。小刻みに震える細い閃光がきらめいて、彼女の髪の毛一本一本を持ちあげてなでていたのだ。

そのあともわれわれは、アナスタシアを訪ねて草地に行ったときに、『それ』をさらに数回目にした。彼女にとって『それ』は、太陽や月や木や、彼女の周りのすべての動物たちと同じように、自然なものなのだということにわれわれは気づかされた。

周りのすべてにたいすると同じように、アナスタシアは『それ』に話しかけていたが、同時に彼女は、『それ』を、外から見ればほとんどわからないやり方で、ほかのすべてのものと区別していた。

われわれには彼女が、ほかのすべてのものよりも、『それ』にたいしてより強い尊敬の念を抱いていることが見てとれたのだが、彼女はときどき『それ』を困らせていた。彼女はそのほかの周りにいる存在を困らせるようなことは決してなかったが、なぜか、『それ』にたいしてだけは自分のわがままを許していた。『それ』は彼女の気分に反応し、彼女の気まぐれにつきあっていた。

アナスタシアが四歳になった誕生日の夜明けごろ、われわれは草地の端に立って、彼女が目覚めるのを待っていた。彼女が春の日の夜明けを、歓喜にあふれて迎える姿を静かに見ていたかったのだ。

彼女が目覚めるほんの少し前に『それ』は現われ、青い光を放ちながら、草地いっぱいに溶けて広がった。われわれはそのとき、美しく魅惑的な、人間の手によらない、生きた絵画を見た。草地全体も、それを囲む木々も、草も昆虫たちもその様相を変えた。杉の針葉はやわらかく色とりどりに輝き、枝から枝へと飛びはねるリスたちを淡い七色の光が追いかけ、草はやさしい緑色に輝いた。

さらに鮮やかで多彩な光が、草の中で動き回るたくさんの昆虫たちから放たれていた。まるで、美しく精巧な模様が絶えず動いて変化する、昆虫たちがともに生み出した、とてつもなく華麗な、光流れるカーペットだった。

アナスタシアは目覚めた。目をあけて、魅惑に満ちた、あまりに美しい生きた絵画を見て、跳び起き、周囲を見回した。

彼女はいつも朝にはそうするように、にっこりと微笑んだ。すると、彼女の周りのすべては、さらにその輝きを増し、その動きを速めて、彼女の微笑みに応えた。それから彼女は注意深くそろそろとひざをついて、草とその中で動き回ってさまざまな色に輝いている昆虫たちを、顔を近づけてじっくりと観察しはじめた。

彼女が顔をあげたとき、その顔は、何かに集中し、同時に何かを心配しているような表情に見えた。彼女は上のほうを見あげた。そこには何もなかったが、彼女は小さな両腕を空に向かって伸ばした。静かな大気がその瞬間に動き、青い球体は彼女の両手の上に現われた。

彼女は『それ』を顔の近くにもってきて、草の上に置き、やさしくなでた。われわれは彼らの会話を聞いた。アナスタシアだけがしゃべっていたが、『それ』は彼女の言うことを理解し、しずかに応えようとしていることがはっきり見てとれた。アナスタシアは『それ』に向かってやさしく、そして少し悲しそうな様子で話しかけていた。

『あなたはやさしいわ。本当にやさしい。あなたはわたしをきれいなもので喜ばせたかったのね。ありがとう。でも、おねがい、もとにもどして。全部前のとおりにもどしてほしいの。そして、もう絶対に変えないで』

青い球体は脈打ちはじめ、地面から空中に少しあがり、その中で閃光がきらめいた。だが、輝く生きた絵画は消えなかった。アナスタシアは球体をしっかりと注意深く見ながら、再び口を開いた。

『小さい昆虫にもカブト虫にもアリにもママがいるの。誰にでもママがいるの。ママは生まれたままの、そのままの子どもたちを愛してる。足が何本あっても、体の色が何色でもいいの。あなたはそれを全部変えてしまった。今、ママたちはどうやって自分の子どもをみつけるの？　全部、もとのとおりにして、おねがい！』

球体がかすかにまばたきをすると、草地のすべてがもとに戻った。それから、球体はアナスタシアの足元の横に再び降りた。彼女は『それ』をなでながら、『ありがとう！』と言った。それから黙り込んで、まじまじと球体を見つめていた。次に彼女の口から出た言葉にわれわれは度肝を抜かれた。

『どうか、もう来ないで。あなたと一緒にいるのはとても幸せ。あなたはいつもいいことだけをして、助けようとしてくれる。でも、もう来ないで。あなたにものすごく大きい草地があるってわかったの。

あなたの意識はとても速いの。あまりに速いから、あなたの言うことがすぐにはわからない。少しあとで、少しだけわかる。あなたは誰よりも速く動く。鳥たちやそよ風よりも速い。あなたは何でもとてもとても速くとてもじょうずにできる。だから、わたしはわかったの。それはあなたが、あなたのとても大きな草地で、いろいろなおしごとがあって、何か大切ないいことをやらないといけないからなんだって。

でも、あなたはわたしと一緒にいるとき、あなたの大きな草地にいられないから、そこでいいことをする人が誰もいなくなる。行って。あなたは自分の草地のお世話をしないといけない』

青い球体は縮んで、とても小さい塊になって上空に飛んだ。空中を駆けめぐり、いつもよりさらに明るくきらめいて、もう一度、座っていたアナスタシアに向かって燃えるほうき星のように飛んできて、彼女の頭の横で止まった。たくさんの震える光線がアナスタシアの長い髪に届き、その一本一本を毛先まで丁寧になでた。

『ねえ、どうして行かないの？　あなたを待っている人たちのところに、いそいで行って』とアナスタシアはやさしく言った。『わたしはここで、自分で、いいことをなんでもする。あなたの大きい草地でも、全部がうまくいっているとわかったら、とても嬉しいの。わたしはあなたを感じる。あなたもわたしのことを思ってね。でもときどきだけよ』

青い球体は上昇したが、いつものように、やすやすとではなかった。それは断続的に爆発しながら、アナスタシアから遠ざかり、空中に消えていった。だが、それは彼女の周りに見えない何かを残していった。

何かよくないこと、アナスタシアが望まないことが起こると、彼女の周りの次元空間は、まるで麻痺《まひ》したように静止する。

きみは、彼女の意志に反して彼女に触れようとしたときに気絶した。彼女はこの現象を、間に合うときにはいつも、両腕をあげて止める。幼い頃と同じように、彼女は今も、何でも自分でやりたいのだ。

われわれは幼いアナスタシアに、『草地に降りてきたあの輝くものは何だったの？　おまえはそれを何と呼ぶの？』とたずねたものだ。彼女は少し考えてから、『おじいちゃんたち、グッドって呼んだらいいわ』と答えた」

老人はここで話をやめて黙り込んだ。私は幼いアナスタシアが、どのようにして森で暮らしていたのか、それをもっと知りたくて、彼にたずねた。「そのあと、彼女はどうしたんですか？どのように生きていったのですか？」

「彼女はただ生きたのだよ」と老人は答えた。「彼女は、ほかの人と同じように、成長した。われわれは彼女にダーチュニクを助けるようにと提案した。六歳になってから、彼女は遠くの人々を見て感じて、助けることができるようになった。ダーチュニクは彼女を惹きつけた。今では彼女は、ダーチュニク現象は、人間が、私たち地球的存在の本質をゆるやかに理解していく、移行のプロセスだと信じている。

彼女は二十年間、こつこつと熱心に光線を照らしつづけてきた。彼らの小さな庭の植物を温め、人々を癒し、植物をどのように扱うべきかを、控えめに説明しようとしてきた。そしてそれは彼女から見て、素晴らしい成果をあげた。

それから彼女は人間の生活の別の側面も観察するようになった。彼女がきみと出会ったのは運命だった。それがまた新しいアイデアを生むこととなった。つまり、『人々を闇の勢力の時間域を超えて運ぶ』という考えだ」

「あなたは彼女が成功できると信じていますか？」と私はたずねた。

「ウラジーミル、アナスタシアは創造者としての人間の意識の力を知っているし、そう簡単に宣言することを自分に許さない。つまり彼女はある種の力をもっているということだ。もはや彼女がこの道からそれることはないし、撤退することもないだろう。彼女は粘り強くしつこい性格だ。それは彼女の父親ゆずりなんだ」

「ということは、彼女は具体的に行動を起こしているということですね。彼女の意識のイメージを現実化しようと努めているのに、われわれはここでただスピリチュアルを論じている。まるではなたれ小僧のようですね。『アナスタシアは実在するのですか？　それともあなたが創りあげたのでしょうか』と、聞いてくる人々がいます」

「人々はそんなことをたずねるはずがない。彼らはその本と接した瞬間に彼女を感じる。彼女はその本の中にも存在しているから。仮相に生きる人間はそういう質問をするが実相の人間はしない」

仮相の人々

「私は完璧にほんものの人々について話しているんです。あの二人の若い女性のような。わかりますか？」と私は言って、われわれのベンチから五、六メートルほど離れたところに立っている若い女性を指した。

老人は彼女たちをじっと見て言った。「ひとりは、あのタバコを吸っているほうは、ほんものじゃないと思う」

「どういう意味ですか？　ほんものじゃないって。私が今すぐ彼女のところに行って、彼女のお尻をひっぱたいたら、ほんもののわめき声とののしり言葉がたっぷり聞けるはずですよ」

「ウラジーミル、きみが今目の前に見ているのは、技術優先世界が意図して創りあげた、たんなるイメージなのだよ。よく見てごらん。あの若い女性は足を締めつける不快なハイヒールを履いている。

彼女は、今履くべき靴を誰かが定義づけているから、あの靴を履いているにすぎない。革に似ているが革ではない素材で作られたスカートをはいているが、これもむしろ健康によくない。彼女は誰かの指図に服従して、その指図どおりのイメージを自ら創りあげているんだ。

見てごらん、彼女はくっきりと厚い化粧をしていて、態度は横柄だ。見かけは自立しているように見えるが、それはうわべだけのことだ。彼女の外観すべてが、実相の彼女にマッチしていない。ほかの人々によって決められた思いや形が、実相の彼女を力で抑えつけている。この架空の姿は魂をもたず、生きた魂を遮断している。彼女の魂はこのイメージの中に幽閉《ゆうへい》されている」

「あなたは魂について、好きなだけ何でも言うことはできます。幽閉だとかあるイメージを指図するだとか。しかし、それが本当かどうかを判断するのは難しい」

「私はもう老人だから、きみの考え方についていけない。アナスタシアのように納得させる話し方ができない」と言って老人はため息をつき、つけ加えた。「きみに見せられるようためしてみていいかね？」

「何を見せてくれるんですか？」

「ほんのちょっとの間、あの仮相の、生きていないイメージを破壊してみようと思う。あの若い女性の魂を解放するために。しっかり見ていたまえ」

「どうぞ、やってみてください」

タバコを吸っていた若い女性は、女友だちに何かひどいことをえらそうな感じで言っていた。老人は二人をじっと集中して観察していた。その若い女性が視線を女友だちから外してひとりの通行人に向けたとき、老人の目は彼女の視線を追った。

それから彼は立ちあがり、ついてくるよう私に身振りで示して、その若い女性たちのいるところに向かった。私は彼についていった。老人は彼女たちから五十センチほどの距離で止まり、タバコを吸っているほうの顔をじっと見つめはじめた。彼女は老人のほうを向き、彼の顔にタバコの煙を吹きかけ、いらいらしながら言った。「じいさん、いったい何の用？　あんた乞食？」

老人は少し間《ま》を取った。おそらく煙が顔の周りを覆う中で、知力を集中させるためだったのだろう。それからやさしく静かな声で言った。「タバコは右手にもちなさい、お嬢ちゃん。それは右手でもつようにしないといけないよ」

その若い女性は素直に、タバコを右手にもちかえた。だが、それは主要な変化ではなかった。彼女の顔が突然、まったく変わったのだ。高慢さは消えていた。彼女の中の何もかもが変わった。その顔も態度も。彼女はまったくちがう声のトーンで言った。

「やってみるわ、おじいちゃん」

「子どもは産むべきだよ、お嬢ちゃん」

「私ひとりではとてもむりなの」

「彼は帰ってくるよ。行って、婚約について考え、赤ちゃんについて考えなさい。そうすれば彼は帰ってくる。行きなさい。お嬢ちゃん、急がないといけない」

「そうするわ」と彼女は言い、二、三歩行きかけて、立ち止まり、女友だちのほうを振り返って、さっきのいらついた感じとはまったくちがう穏やかな声で言った。

「一緒にきて、ターネチカ」

二人はいなくなった。

「すごい！　じつにすごい！　あなたはどんな女性でも、あんなふうにコントロールしようと思えばできるんだ」ベンチに戻って私は言った。「素晴らしい。ある種の強力な催眠術みたいだ。神秘主義的なもの！」

「催眠術ではないよ、ウラジーミル。それに、神秘主義的なものは何も含まれていない。これは相手にたいする深い観察からきているのだよ。その人の本質を観察する。それを覆っている人工的なイメージではなくてね。周りの人が、その人の仮相を見るのではなく、実相に焦点をあてると、その人の本質である自己は即座にそれに反応し、力を回復する」

「でも、どうやって、見えているイメージの背後に隠れている、見えないその人を見ることができたんですか」

「それはとても単純なことだ、断言するよ。私はただ少し観察しただけなんだ。あの若い女性はタバコを左手にもっていた。そして彼女はその同じ左手で財布の中の何かを探していた。ということは、彼女は左ききだということだ。幼い子どもがスプーンを左手でもったり、何かを左手でやると、両親はその子に右手でやらないといけないよと説明しようとする。

彼女は両親と一緒だったときは幸せだった。彼女の視線が、小さい女の子と手をつないで歩いている一組の男女に引き寄せられ、そこにとどまっているのを見て、私はそれに気づいた。だから私は、彼女が幼い頃、両親の口から聞いたであろう言葉を彼女にかけたんだ。

私は、彼女がまだ幼くて、まっすぐで、押しつけられたイメージに覆われていなかった頃に、彼女の両親が使ったと思われる声やトーンになるべく近い感じで話そうと努めた。彼女――その幼い女の子、実相の彼女――は、瞬時にそれに応えた」

「それと、あなたは出産について話していた。あれは何だったんですか？」

「彼女は妊娠している。すでに一カ月以上にはなっている。お腹の子はエイリアンのイメージなど必要としていない。この女性の中にいる幼い女の子はその子を本当にほしいと思っていて、女の子と仮相の彼女は熾烈《しれつ》な戦いをしている。だがもう、幼い女の子が勝利を収めるだろう」

なぜ神は誰にも見えないのか？

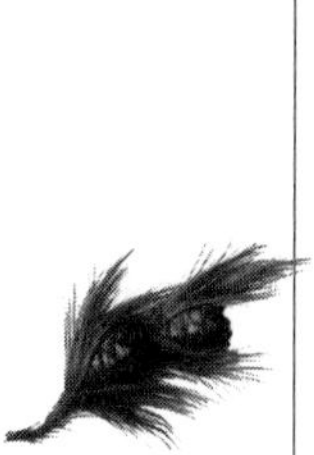

「私がタイガでアナスタシアと一緒だったとき、彼女は、誰も神を見ることができないのは、神の意識があまりに速い速度と、あまりに濃い密度で作用するからだと言っていました。そこで私は思ったんです。なぜ神は、人々が見ることができるように、それをもっと遅くしないのだろうって」

老人は杖をもちあげて、自転車に乗って前を通り過ぎていく人を指した。

「見てごらん、ウラジーミル。自転車の車輪は回転している。車輪にはスポーク（＊車輪の軸と輪を放射状に結ぶ細長い棒）がついているが、今は見えない。そこにあって、あることをきみも知っているが、回転の速度がそれを見えなくしている。

別な表現を用いれば、きみの意識の速度と視覚の認識が、きみにそれを見せてくれないのだ。

サイクリストがもっとゆっくりと自転車をこげば、車輪のスポークもぼんやりと見えるようになる。

彼が自転車を止めれば、きみにはスポークがはっきりと見えるが、自転車に乗っている彼自身は倒れてしまう。彼は自分の動きを止めたために、目的地に着くことができない。何のために？　きみにスポークがそこにあることを見せるため？　だが、それはきみに何をもたらす？　きみに、そしてきみの周りに何の変化をもたらす？

きみが確認できるのは、スポークはそこにあったという事実、それだけだ。サイクリストは起きあがって自分の動きを続ける。だが、またほかの人々がスポークを見たがるので、彼らのために、彼は何度も何度も自転車を止めては倒れる。それがいつまで続くと思う？」

「まあ、たった一度でいいから、神を見ることさえできれば……」

「きみは何を見るのかね？　結局のところ、地面に倒れているサイクリストはもはやサイクリストではない。きみは自分の想像力を働かせないといけない。

神が意識の速度を変えたら、彼はもはや神ではない。きみは自分の意識の速度を上げることを学んだほうがいい。意識の速度が遅い人と会話をするときに、きみはいらだちを覚えないかい？

彼に合わせて自分の意識をスローダウンするのは、苦痛にならないかい？」

「たしかに。バカに合わせるには自分がバカにならないといけない」

「神にとっても同じなのだよ。われわれが神を見るためには、神がわれわれに合わせる必要が出てくる。その意識の速度をわれわれのレベルまで下げ、われわれと同じにならないといけない。だが、神がこれを実際に行なおうとして、神の息子たちを世に遣《つか》わすと、群集は彼らをにらみつけて言うんだ。『おまえは神ではないし、神の子でもない。偽預言者だ。奇跡を起こしてみろ、さもなければ十字架にかける』と」

「しかし、なぜ神の子は奇跡を起こしてはいけないんですか？ 少なくとも、信じない人たちに自分への干渉をやめさせ、自分を十字架にかけさせないために」

「信じない人たちは、奇跡が起きても納得しない。彼らはかえって惑わされ、『闇の勢力の仕業《しわざ》を焼き尽くせ！』と叫びながら、創造主による奇跡を火で燃やしてしまう。そういう奇跡ばかりでなく、周りを見回せば、神は数知れない奇跡を日々創造している。朝には太陽が昇り、夜には月が出る。草の中の虫たちだって、やはり奇跡的だ。そして木も……。

きみと私はここにこうして木の下に座っている。この一本の木よりも完璧なメカニズムをいったい誰が発明できる？ これは神の意識のほんの一粒にすぎない。こうして、物質化した彼の意識の粒子は、生きて、われわれの足元で動き回り、青い空に飛んでわれわれのために歌い、温かい光線でわれわれを包む。彼らはすべて神のもの、われわれの周りを囲み、われわれのために存在している。

だが、これらすべてを、ただ見るだけではなく、感じ、理解することのできない人がいかに多いことか。それができれば、完璧ではないにしても、少なくとも、奇跡に満ちた生きた森羅万《しんらばん》象《しょう》を、ゆがめたり破壊したりせずにすむのだが。

神の息子たちに関して言うと、彼らはただひとつの役割を担って遣わされている。それは、自分の意識の速度を遅くすることによって、語る言葉をとおして人間の気づきのレベルを上げるということだ。彼らはこれを、自分が人々にとって不可解な存在となりうるというリスクを冒しながら行なう」

「でも、アナスタシアは、『言葉を語るだけでは人々の気づきのレベルを、それ相当のレベルまで引き上げることはできない』と言ってました。私も同感です。いろいろな人が、これまで、多くの言葉を発してきました。でも、結果はどうです？　われわれの周りには、うんざりするほど多くの不幸な運命が転がっていますし、地球規模の大災害だって目にするかもしれないんです」

「まったくそのとおりだ。言葉は魂から発せられていないとき、つまり、言葉と魂を結ぶ糸が切れているときは、むなしく平凡で、個性をもたない。私の孫、アナスタシアは、それぞれの言葉にたいしてだけではなく、ひとつひとつの文字の音色にたいしてイメージを創り出す能力をもっている。

今、地上に生きている教師たち、人間の姿をした神の息子たちは、そういう能力を獲得していくので、人間の精神《スピリット》は闇に打ち勝つようになる」

「神の息子たち、教師たちは、どうするべきなんですか？　つまるところ、アナスタシアだけがこの能力をもっているわけですから」

「彼女はすでにそれをすべて分かち与えはじめている。そもそも、きみでさえ本を書くことができた。読者たちはほとばしるように詩を生み出し、世に送り出しているし、新しい歌がたくさん生まれている。きみはその歌を聞いたことはあるのかね」

「あります」

「霊的指導者たちがこの本に接する機会さえあれば、これらすべての現象は何倍にも増えて現われるはずだ。きみにとってはたんなる言葉でしかない部分にも、彼らは生きたイメージを感じ、彼らの中でパワーはさらに増してくる」

「彼らはそれを感じるが、私は感じない？　私はまったくの鈍感人間というわけですか？　それなら、なぜ彼女は私に話したんです？　彼らではなくて」

「きみは聞いたことをねじまげたりできないし、そこにつけ加えたくなるようなものももっていない。白紙の上でこそ、書くことは明確になる。だがね、きみの意識でさえも次第に速度を増してくるんだよ」

「なるほど。ほかの人たちに遅れをとらないためにも、そうあってほしいですがね。基本的にあなたの言っていることはすべて正しいようです。信者たちから先生と呼ばれているロシアのある宗教指導者が、『アナスタシアについて書かれた本を読みなさい。きっと感動しますよ』と言ったんです。そして多くの信者たちが本を買いました」

「ほら、そうだろう、彼は理解した、感じたのだ。それで彼はアナスタシアときみを助けることができたんだ。きみは彼の助けにたいして感謝の気持ちを伝えたかね？」

「私は彼に会ったこともないんです」

「きみの魂で、ありがとうと言えるのだよ」

「黙って、ですか？　誰がそれを聞きますか？」

「彼は魂でそれを聞く」

「もうひとつちょっと微妙なことがあるのです。彼はこの本については好意的によく話をし、アナスタシアについてもそうだったのですが、私については、『彼は男らしい男ではない』と言ったんです。『アナスタシアに会ったのは男らしい男ではない』と彼は言いました。私自身それをテレビで見たし、新聞でも読みました」

「それで、きみは自分自身をどう思う？　完成の域に達した男かね？」

「いや、完成などとは言えるはずもないが……」

「それなら、反論する余地はないね。きみは男らしい男になるよう努力すべきだ。私の孫娘がそれを手伝ってくれるよ。愛が引き上げることのできる人はだれでも、その高みまで昇って行ける。そう考えることすら、誰にでも運命づけられているわけではないのだよ。そういうときには、創造主は信じ難いほどの意識速度を要求される」

「あなたの意識速度はどれくらいなんですか？　私と話をするのは苦痛じゃないですか？」

「われわれのような生活を送る人間は、技術優先世界に暮らす人々より格段に速い意識速度をもっている。われわれの意識は、着るもの食べるものといった絶え間ない多くの心配に邪魔されて速度を落とすようなことはない。

だが、きみと話すのは私にとって苦痛ではない。孫娘への私の愛情がそうさせる。彼女はこれを強く望んでいた。私は彼女のために少しでも役に立てることが嬉しいのだよ」

「アナスタシアの意識速度は、あなたやあなたのお父さんの意識速度と同じですか？」

「アナスタシアのほうが速い」

「どのくらい速いのですか？　どのくらいの比率で？　たとえば、彼女が十分で考えることをあなたは何分かかって考えますか？」

「アナスタシアが一秒で生み出すものを、最初から最後まで通して考えるのにわれわれは数カ月かかる。彼女がときどきわれわれからすると非論理的に見えたり、まったくのひとりぼっちなのもそのためだ。だが、われわれは必ずしも彼女の行動の真意を即座に理解できるとは限らないから、彼女を実質的に助けることができないんだ。

私の父は、アナスタシアと話すことをまったくやめてしまっている。父は彼女を助けられるように、彼女の速度についていく練習をしているんだ。私にも同じことをさせようとしているが、私はそれをやってみようとさえしていない。これは私の怠け心からきていると父は思い込んでいる。だが、私は孫娘を心から愛しているし、彼女がすべてをしっかりと正しく行なっていると、ただ単純に信じているだけなんだ。彼女に頼まれたことなら、何をやるのも嬉しい。だから私はこうしてきみに会いにやって来た」

「それにしても、彼女はあの三日間、どうやって私に話をしたのですかね？」

「われわれも、それについては長い間考えた。とうとう、彼女は頭がおかしくなったのではないかとさえ思った。そして、最近になってやっとわかった。彼女はきみと話している間、自分の意識を止めていなかったんだ。じつは逆に、その意識の速度を速めていた、つまり、加速してそれをイメージに変換していた。

そのイメージは、きみたちの世界のコンピュータ・プログラムのように、きみと、この本を読む人々に明らかに示されていく。そのイメージは、人間の意識の動きを飛躍的に加速し、神により近く運んでいく。

このことを理解したとき、われわれはアナスタシアが、その方法を考案することによって宇宙に新たな法則を創出したのだという結論に達した。だが今や明白なのは、彼女はただ単純に、純粋で偽りのない愛の、いまだかつて誰にも知られていなかった力を用いていたにすぎないということだ。愛はいまだに、創造主のもつ謎として残されている。彼女はその愛の、もうひとつ別の偉大な広さと力とを明らかにしてくれた」

「アナスタシアの意識速度なら、神を見ることができるんですか？」

「とんでもない。なんといっても、彼女は肉身をもって生きているのだから。神は人間の肉身にも宿っているが、それは神の半分にすぎない。地上のすべての人間が神の肉身そのものなのだ。

この肉身の小さな一粒であるアナスタシアは、ときどき、何かを把握する。考えられないほどの意識速度をまれに獲得したときに、他の人よりも強くその何かを感じるかもしれないが、それはほんの一瞬のことだ」

「そのとき彼女は何を与えられるのですか？」

「その一瞬に、真理すなわち存在の本質を感知し、賢者たちが一生涯をかけて獲得しようとし、伝え、教えを完成させていくような、そういう気づきを得る」

「彼女は東洋のラマたちの知識や、釈迦やキリストの叡智を共有し、ヨガを知っていると？」

「そのとおり。彼女はきみたちの世界に受け継がれてきた教義に記されていることよりも多くを知っている。だが、彼女は、それらも不十分であることを見抜いている。なぜなら、今日地球上に生きるわれわれすべてにとって、調和は存在せず、大災害への動きが続いているからだ。

　そこで、アナスタシアは思いもよらない文字の組み合わせを創出した。

『人々に教えを説くのはもうたくさん、アダムとイブのりんごで彼らを惑わすのはもうたくさん。彼らには感じさせないといけない。そう、感じること！　昔、人間は何を感じていたのか。つまり、人間として何をすべきか、何をすべきでないかを』と言っていた」

「彼女は本当に、すべての人々にとって良きことを為しえるかもしれないと？　もしそうなら、この良きことはいつはじまるのですか？」

「すでにはじまっている。……ほんの小さな新芽だが、小さいのは今だけのこと」

「それはどこにあるんです？　どうすればそれを見たり感じたりできますか？」

「本を読んだ人々に聞きなさい。それは彼らの内にある。なにしろ、彼女は多くの人々の内に光の思いを呼び起こした。それはもはや否定しようのない事実だ。多くの人がこのことをきみに話すだろう。アナスタシアはこれを自分の文字の組み合わせを使って行なった。信じがたいことだが、それが機能したのだ。

それに、ウラジーミル、きみだよ、きみ自身のことを考えてみたまえ。きみはどういう人間だった？　そして今、きみはどういう人間になっている？　ウラジーミル、プログラムの原型はきみの内で展開され、彼女の魂は人々の内に明らかに示されている。プログラムの原型がきみの周りのイメージを変えていくにつれて、きみの内面の世界は変わりはじめている。

われわれはそれをアナスタシアと同じレベルで完璧に理解することはできない。表面にあって現われているものについては把握できるのだが、彼女がこれを現実にするのを何が助けたのかはいまだに謎だ。

もちろん、その謎を解くためにもっと努力することもできるが、私は、今生まれつつある美しい現実から気を散らされたくないのだ。美しい夜明けは、ただ感嘆し賛美すべきものだ。

それがなぜ起こっているのかについて思いを巡らしはじめると、喜びは消え失せ、あちこち掘り返して情報を捜し回るのにやっきになって、結局は何も得ず何も変わらないということになる」

「これは驚いた！　すべてがあまりにふつうじゃないし、あまりに複雑だ。だが私は、アナスタシアがただの世捨て人であってほしいと思っていた。けたはずれにやさしく美しく、そしてほんの少し世間知らずなだけの」

「よく聞いてくれ、ウラジーミル。さまざまな情報を捜し回ったりして自分の脳を苦しめる必要はないのだよ。私の言ったことがあまりに難しければ、彼女は、きみにとって美しくやさしい世捨て人のままでいいんだ。それがきみが抱いた彼女の印象なのだから。

　ほかの人々はまたちがった何かを見るだろう。きみにはきみに与えられたものが与えられた。きみの意識には、そのほかの何も受け入れる準備ができていないし、それはそれでいいことなんだ。できるなら、ただ単純に、夜明けの美しさを鑑賞するようにしてごらん。それが何より大切なことだ」

ロシアの夜明け

「ロシアのすべての人々に夜明けが訪れはじめるのは、ひとりひとりが物質的により豊かな生活を送れるようになったときです。経済が全体的に向上すれば、みんな豊かな生活を送れるようになります」と私は言った。

「すべての物質的環境は人間の精神《スピリット》と意識に依存する、これ次第なんだ」

「そうかもしれないが、空腹で、着るものもなく裸でいる人に、賢者の哲学は何の意味ももたないでしょう」

「なぜそういう現象が起こっているのか、それを考えないといけない。それぞれが自分で考えないといけないのだ。責任のありかをほかの人に探してはいけない。きみ自身の内面が変われば、その周りのすべてが、暮らしの豊かさも含めて変わる。たしかにきみの言うとおりだ。人々はすぐにすべてを信じはしないだろう。

だが、アナスタシアは、『これは説教をとおしてではなく、ただ人々に事実を示すことをとおして行なわないといけない』と言って、実際にそのようにした。彼女があらかじめイメージしたことは、実行されなければならない。

シベリアの大小さまざまな集落——訪れる子どもたちもないまま老人たちだけがとり残されているところ——が、三年で今の何倍も豊かになる。生活は明るく花咲き、多くの子どもたちが戻ってくる。さらに彼女はもっと多くのものをもたらそうとしている。

アナスタシアは多くの秘密を明らかにし、根源なるものの叡智と人々の能力を復活させるだろう。ロシアは最も豊かな国になるだろう。精神性と根源なるものの叡智は、技術優先主義の数々のむなしい企てよりずっと重要であることを証明するために、彼女はこれを行なう。ロシアから新しい夜明けがはじまり、地球全体へと広がっていくだろう」

「それが実際に起こるためには、私は何をすべきなんですか？」

「私の孫娘がきみに開示した最初の秘密を明らかにしなさい。杉の実からどのようにして癒しのオイルがとれるかを本に書きなさい。何も隠してはいけない」

突然、私の中のすべてが強烈に反発して、息が詰まりそうになった。じっと座っていることができなくなり、跳びあがるようにしてベンチから立ちあがった。

「なぜです？　なぜいきなりそんなことをしないといけないんです？　すべての人に、しかもただで。ふつうの人なら誰でも私をバカだと思うでしょう。

私は遠征隊を組織し、私財すべてを投資したんです。今、私の会社は破産に追い込まれています。アナスタシアは私に本を書くように頼み、私は書いた。だからわれわれは、今は五分と五分、おあいこなんです。あなたがたの志や哲学は私には難しすぎて理解できません。私はただ、アナスタシアにそうすると約束したから、書いているだけです。

それと、オイルに関してですが、すべて明確に私は知っているんです。どれだけの利益を得られるかも知っています。オイルに関する技術は誰にも与えるつもりはありません。本から多少得た収益をかき集めて、オイルを自分で生産しようと思っています。

私はすべてを回復しないといけないんです。私の船と私の会社を取り戻さないといけないんだ。次の本を書くためにノートパソコンも買わないといけない。

今の私には家もない。どこにも住むところがないんです。トレーラーハウスを買いたい。そして裕福になったら、現在生きているロシアの将校たち、その魂が致命的なほどに傷ついている彼らのために、モニュメントを建てたい。

われわれの冷淡さは、機会があるたびに彼らの魂を真っ二つに引き裂いてきた。人々は彼らの名誉と良心を冒瀆《ぼうとく》してきたんです。将校たちはいつの時代も、人々を守るために戦場に出かけていったというのに。

あなたがたが、森の中に穏やかに座しているときに、こちらでは人々が死んでいっているんです。われわれの周りにはたくさんの、いわゆる『スピリチュアルな人々』がいます。彼らが語ることはすべてスピリチュアリティについてですが、彼らは何も本当にしたいとは思っていない。私は少なくとも何かをします。それなのに、オイルの技術をそんなふうに与えよと？　しかも誰にでもですって？　とんでもない！」

「アナスタシアはきみのための収入は確保した。私は聞いたよ。オイルの売り上げの三パーセントだ」

「三百パーセントの収益を得られるというのに、三パーセントとはひどいもんだ。私は杉オイルの現在の世界標準価格を知っています。しかも世界で売られている杉オイルの癒しの力は、こちらが作るものの何分の一というほど弱い。私はすべて調べつくしました。彼らは正しい抽出方法を知らないんです。今、それを知っているのは私だけです。彼女が言ったことはすべて検証しました。

癒しの力において杉オイルに類似したものは世界に存在しないが、それは、すべてが正しい方法で作られたものに限るんです。科学もそれを確証しています。パラス先生はこのオイルは若さを回復させると言いました。これを、あっさりと、みんなにあげてしまえと言うのですか？

つまり、私はあなたにとって、よいカモなんですね。私は非常にたくさんの文献を調べつくし、彼女の言ったことを確証するために古文書保管所に人材を送りました。そして彼らは確証したのです。この件でもお金がたくさんかかりました」

「きみはアナスタシアを直ちに信じることができなかったために、全部チェックして調べあげた。きみの信頼感の欠如が、多くのお金と時間の浪費を招いたのだ」

「そうですよ、私はチェックしましたとも。それは必要なことだったんです。しかし、もう私はバカになるつもりはありません。『すべての人にとっての夜明け』ですか？　たしかに『夜明け』は素晴らしい。だが、私はその夜明けのときに、バカのままなんです。私は本を書いた。すべて彼女が言ったとおりに。

彼女が繰り返していたのを憶えている。『何も隠してはいけない。いいことも悪いことも。プライドという自尊心を飲み込みなさい。ばかげた人と思われたり、誤解されたりすることを恐れないで』と。言われたとおり、私は何ひとつ隠さずに書いた。それでどうなったと思いますか？

本の中の私は完璧なバカという印象になっています。人々は私に面と向かってそれを言うんです。私には精神性がないとか、理解できていないことがあまりに多いとか。礼儀知らずで品がないだとか。コロムナ（＊ロシア西部、モスクワの南東にある河港都市）の十三歳の少女は、『あなたはあんなことをしてはいけない』と書いた手紙を私に送ってきた。

ひとりの女性が、ペルミ（＊ロシア西部、モスクワの東にある都市）から、私の部屋の入口の前までやってきて、『私はアナスタシアがあなたに何を見ていたのか、それを知りたい』と言った。『何も隠してはいけない。いいことも悪いことも。プライドという自尊心を飲み込みなさい。ばかげた人と思われたり、誤解されたりすることを恐れないで』と言ったアナスタシアは、こうなることもすべて知っていたんです！

彼女は本の中で好印象を与えている。人々はそう言っています。だが、私はどうです？　すべて彼女のせいです。息子のことさえなければ、私はこういうことについて彼女に不平を言ったでしょう。考えてもみてください！　私は彼女の要求どおり、なんでも正直に書きました。そして人々は私に向かって言うんです。『あんたは無神経で臆病者だ』と。

もちろん、私はまったくのバカです。自分でそうしたんですから。私は彼女の言うとおりにした。死ぬまで忘れられないような、恥ずかしいことを自分自身について書いた。私が死んだら、人々は私のことをネタにして大笑いするでしょう。

この本自体が命をもっていることがわかってきています。なんと、これは私より長生きするんです！　私が自分で印刷をストップすれば、どうにかなると思いますか？　なりません。もうすでに闇で印刷しようとしている人たちがいる。彼らはコピー機を使ってやろうとしているんです」

そこで、老人にちらりと目をやった私は、突然つかえて、口をつぐんだ。彼の目からこぼれた涙がひとしずく、ゆっくりと頬を伝っていた。私は彼の横に座りなおした。彼は黙って下を向いていたが、ややあって口を開いた。

「わかってくれ、ウラジーミル、私の孫娘アナスタシアは多くのことを予見できる。彼女は何も欲していない。名声もお金も。彼女は何らかの名声を引き受けて自身を危険にさらすことで、きみを救ったのだ。本の中でのきみの行動がそのままきみの印象になっているというのも、彼女のやったことだ。それはまちがいない。

だが、このことで彼女はきみを卑《いや》しめたのではない。きみを救ったのだ。束になって襲ってくる闇の勢力を全部ひとりで引き受けて。それなのにきみは、その彼女にたいして……誤解といらだちという痛みを返している。考えてみたまえ。純粋に愛からこれらのことを創出した彼女にとって、きみからのそうした反応に耐えるのは容易なことかね？」

「いったいどんな愛なんです？　愛する人を笑いものにするっていうのは」

「人々にバカと呼ばれる人はバカではない。お世辞を本当だと思う人がバカなのだ。考えてごらん。きみはほかの人にどのように思われたいのだね？　ほかの誰よりも優れていると？　非常に知的だと？　最初の本でそうすることも可能だったが、そうすれば、プライドという自尊心と自負心がきみを破滅に陥れてしまっただろう。

賢者の中にさえ、これらの罪に抵抗できている人はほとんどいない。プライドという自尊心は、不自然なイメージを創りあげ、その人の内の生きている魂を覆う。過去の哲人や現在の天才と呼ばれる人たちがほとんど何も創り出せていないのはそのためだ。

彼らは最初のひと言を書きはじめた瞬間に、自負心にとらえられ、初めに与えられていたものを見失う。だが、私の孫娘アナスタシアは、プライドという自尊心を生み出すお世辞や賞賛から自身を遮断する優れたセンスをもっていた。今はきみにも、そういうお世辞や賞賛はよりつけなくなっている。

彼女はきみをそのほかの多くの不幸から救っている。きみの精神《スピリット》と肉身の両方を守っている。きみは偽りのない本を九巻書く。愛の次元空間に満たされたその地は輝きはじめるだろう！ そして、きみがその第九巻を細部にまで気を配って仕上げれば、きみは自分が何者なのかわかるだろう」

「それで、それは何なのですか？ 今は教えてもらえないのですか？」

「今きみが何者なのか、それを言葉で言うのは難しくない。きみは今のきみだ。きみが感じているきみ自身だ。アナスタシアはきみが何者になるかを知っている。そして彼女は待つだろう。瞬間、瞬間を愛に生きながら。マンションに暮らす人々がきみに臆病者と言ってくる話……それはまったくナンセンスだ。ユーモアだととらえればいい。

彼らに、装備なしで三日間をタイガで過ごすよう提案しなさい。洞穴で熊と一緒に寝るようにと。さらに完璧を期して、ひとりの狂人をお供にしなさいと言えばいい。アナスタシアは最初はまさにそう見えただろう？」

「たしかに、多かれ少なかれ……」

「批判者にはその狂人と一緒に寝てもらおう。タイガの森の奥深くで狼の遠吠《とおぼ》えを聞きながら。彼らにそれができると思うかい？」と、老人はいたずらっぽく言った。

私はその光景を思い浮かべて、突然大声で笑いはじめた。老人と私は一緒に笑った。

そして私は彼にたずねた。「アナスタシアにはわれわれの話したことが聞こえるんですか？」

「きみの行ないはすべてわかるだろう」

「それなら、彼女に心配しないように伝えてください。杉の木から癒しのオイルを抽出する方法を、すべての人に説明しますから」

「わかった、彼女に伝えるよ」と老人は約束した。「きみは、アナスタシアから聞いたオイルに関するすべてのことを、憶えているかね？」

「ええ、憶えていると思います」

「それなら、繰り返してごらん」

杉の木から癒しのオイルを抽出する方法

基本的に、それほど難しい方法ではない。われわれには現代の技術というものもあるが、それについてはここで詳しく述べることはしない。ただ、ふつうにはない微妙な注意点があるので、それについて話そうと思う。

球果を集めるときに、今日の採集家がやるように、木づちや丸太で杉の木をたたいてはいけない。これはオイルの癒しの力を著《いちじる》しく減少させる。杉の木自身が自ら落とした球果のみを使うというのが鉄則である。

球果は風に運ばれて落下するが、アナスタシアがやっているように、人の声で落とすこともできる。落ちた球果は心の冷たくない人々の手によって拾われなければならない。子どもの手で拾いあげるのはとても望ましい。いずれにしても、そのあとの作業も善意と光の意図で行なわれなければならない。

「そのような人々は今、シベリアの村々で見つけることができる」とアナスタシアは私に言った。これにはどんな意味があるのか説明は難しい。だが、聖書にも、ソロモン王が木を切るに巧みな者たちを探したという記述はあるが（＊列王記上、第五章六節）、その人々がほかの人々とどうちがうのかについては書かれていない。

球果の殻をはがしたあとに現われる実は、三カ月以内にオイルを絞《しぼ》り出さなければならない。それより遅くなると、品質が著しく落ちる。抽出している間は、種の部分に金属を触れさせてはいけない。オイルは絶対に金属に接触させないこと、それが鉄則。

このオイルはどんな病をも癒すことができる。病状説明は必要ない。これは食物として、サラダに加えてもいいし、一日にスプーン一杯を飲んでもいい。この場合、できれば日の出のときに、あるいは午後でもいいが、日中の明るさの中で飲み、夜には飲まないこと、それが大切。

「にせのオイルが出回るのではないかと心配したことはないんですか？」と私は老人に聞いてみた。だが彼は悪知恵を働かせた陽気なユーモアで答えてきた。

「きみと私とで、にせもの対策の防壁を立てよう。そしてきみのパーセンテージを確保しよう」

「どうやって？」

「きみが考えないといけないよ。起業家なんだから」

「以前はそうだったが、今は私が何なのかはっきりしない」

「一緒に考えてみよう。何かまちがっていたら直してくれ」

「わかりました」

「最終的にできあがった製品の品質テストをする。医者や科学者やその他の専門家など、品質を査定できる人々が機器を用いて確かめる」

「そう、それがいい。彼らは証明書を発行できる」

「だが、機器はすべてをキャッチするとは限らない。味見も必要だ」

「そうかもしれないな。ワインの品質を決めるのも味の鑑定人だし。彼らは何かで代用できる存在じゃない。しかし、ワインの鑑定人はワインの味をよく知っている。彼らは香りと味の両方に優れたセンスをもっている。そうなると、いったい誰がオイルの味の鑑定人になるんです？」

「きみがやればいい」

「私がどうやって？　ふつうのオイルしか摂《と》ったことがないし、われわれがオイルを作ったときにはアナスタシアの方法に従って作ったわけではないんです。それに、私はタバコを吸うし」

「オイルの味見をする三日前から、タバコとアルコールは厳禁にする。それから肉と油脂類も摂ってはいけない。さらに三日間は誰とも口をきいてはいけない。そうすれば、きみはオイルを試して、その味でそれがほんものかにせものかが判断できる」

「その味を何とくらべればいいんですか？」

「これとだよ」と老人は言って、ズック地の袋から、だいたい指二本ほどの太さの木製の筒のようなものを取り出した。もうひとつ筒のようなものがその端に差し込まれていて、栓の働きをしていた。

「これはほんもののオイルだ。ためしてごらん。ほかのどんなものとも混同するはずはないよ。だがその前に、きみの中に確立されている喫煙やその他の習慣を追い出してみようと思うが、いいかね？」

「追い出すとはどういう意味ですか？　アナスタシアがやったように？」

「まあ、だいたいそういうことだね」

「でも彼女は、ある人の痛みを取り除くことができるのは、その人を愛している人のみで、愛の光線を使ってそれを行なうと言ってました。その人の足から発汗するまで、その体を温めるのだと」

「愛の光線で。それはまったくそのとおり」

「しかし、あなたは彼女のように私を愛することなどできない」

「だが、私は孫娘を愛している。やってみよう」

「やってみましょう」

老人は目を細め、まばたきせずに私をじっと見つめはじめた。温かいものが私の体にどっと流れた。ただ、アナスタシアがじっと見つめたときに感じたものよりは、はるかに弱かった。彼の思うようにはいかなかった。だが、彼はそのまま続けた。あまりに真剣なのでその手は震えていた。

私の体は少し温かくなったが、ほんの少しだけだった。老人はまだあきらめなかった。私は待った。すると突然、私の足が汗をかきはじめ、頭がすっきりと澄んだ感じになり、そして、香りが……私は空気中にただよう香りを嗅《か》ぐことができた。

「ああ、やっとできた」老人はベンチの背に片ひじを休ませながら、すっかり疲れた様子で言った。「さあ、手を出してごらん」

彼は木筒の栓を抜き、私の手のひらに太いほうの木筒から杉のオイルをたらした。私はそれをなめた……心地よい温かさが口蓋を覆い、口中に広がった。そして前ぶれもなく突然、杉の香りがした。それはほかの何ものとも混同するはずもない香りだった。

「これをずっと憶えていてくれるかい?」

「もちろんです。まったく難しいことじゃない。昔、修道院でポテトを食べたことがありますが、その味をずっと長い間憶えていました。二十七年も経った後でさえ、その味を思い出したくらいです。ところで、人々はどうやってそのオイルが証明されたものだとわかりますか? ほんもののオイルだと。

それに、値段もとても高い。何かで薄められたたった一グラムの生のオイルにたいして彼らは三万ルーブルの値をつけているんです。自分の目で確かめました。輸入品のパッケージになっていた。こんなにも高いから、みんな安いにせものを買ってしまう」

「そのとおりだ。今は金がすべてをとりしきっている。これに関しては対策を考えないといけない」

「ほら、そうでしょう？　行き止まりなんですよ！」

「アナスタシアはこの金をいい方向に向かわせることができると言っていた。その方向で考えてみよう」

「人々は長い間考えてきました。たとえば、どうやってウォッカをにせものから守るか。しかし……彼らはラベルや栓を変えたり、販売免許を証明するスタンプを考え出したりしますが、どれも功を奏していません。にせものが売られてきたし、これからも売られていくでしょう。今は、どんなスタンプでもコピーできるんです」

「お金も印刷できるかね？」

「お金は少し難しいな」

「それなら、こうしよう。瓶の後ろにお金を貼りつけよう。ラベルみたいに。意気地なしの紙切れが役に立つよ」

「どういう意味ですか？　お金を貼りつける？　ナンセンス極まりない話ですよ」

「ちょっと紙幣を出してごらん。何でもいい」

私は千ルーブル紙幣を一枚出した。

「ほら、これではっきりした。この紙幣を半分に切って、その半分になった紙幣を箱か何かに貼りつけて、あとの半分を隠す。どこに隠すかはあとで考えればいい。あるいは銀行の貸金庫に預けてもいい。

その半分ずつの紙幣には、同じ番号が刷られているはずだ。オイルがほんものであることを確かめたい人は誰でも、その番号をチェックすればいい」

「さすが、おじいさん！　あなたは賢い！」と私は心の中で思った。そして、口に出して言った。

「にせもの対策にこれ以上の防御策はない。あなたはすごい！」

彼は突然吹き出し、げらげら笑いながら言った。「それなら、私に何パーセントかの手数料をくれよ。リベートだ」

「手数料？　何パーセント？　どのくらいほしいですか？」

「私はすべてがいい方向に向かえばいいと願っているだけなんだよ」と老人はまじめな顔に戻って言い、「売り上げの三パーセントに加えて、それとは別に一パーセントをきみがとりなさい。パッケージされたオイルの分として。そして、それを、必要としているときみが思う人々にただであげなさい。きみと私からのプレゼントとして」と、つけ加えた。

「わかりました。そうします。あなたは本当にすごいことを思いつきましたね。素晴らしい！」

「素晴らしい？　それが本当なら、アナスタシアはわれわれ二人のために喜ぶだろうね。なにしろ、私の父はいつも私を怠けものとしか思っていないのだから。だが、きみは私を素晴らしいと思うんだ、そうだね？」

「そうです、素晴らしいですよ！」われわれはまた、二人で大笑いした。私はつけ加えた。「アナスタシアに伝えてください。あなたは優れた起業家になろうと思えばなれた人だと」

「本当かね？」

「本当ですとも！　あなたはニュー・ロシアン（＊ソ連崩壊後、莫大な富を得た人々）にもなれた人です。まちがいなく！」

「それならアナスタシアにそう言おう。それから、きみがどういうふうにオイルについてのすべてを人々に明らかに示すか、それも彼女に伝えるよ。きみはこれを誰にでも明らかにすることを後悔しないかい？」

「後悔することなどありません。やっかいなことだらけなんですから。私は約束したように、第三巻を急いで書いて、ビジネスと貿易に戻り、商売か、なにかふつうのことをします」

アナスタシアはアナスタシアだけのもの

私はアナスタシアの祖父に、新しいアシスタントたちについても話すことにした。

「今、アナスタシアについてたくさんの記事が書かれています。科学者たちと宗教組織の双方が彼女についていろいろ話をしていますが、彼らはそれぞれ、彼女に関して少しずつちがったとらえ方をしています。あるひとつの団体が私に契約を結ばないかと提案してきました。創造性に富んだ団体で、とてもスピリチュアルで、頭の切れる人たちの団体です。アナスタシアの発言に関して、メディアに公表したりコメントしたりする独占権を与えてくれるなら、私にそれなりの金額を支払うと言ってきたんです。私は同意しました」

「きみはいくらで、アナスタシアを売ることに同意したんだね？　ウラジーミル」

彼の問いかけの意味するものと、そのトーンに、私はかなり不快なものを感じた。

「売る？　どういう意味ですか？　私は本に書いてあるよりも多くのことを彼らに話しました。スピリチュアルな人々が、アナスタシアの発言について自主的にコメントしたり説明したりできるようにと思って、話したんです。彼らはアナスタシアに会いたいとも思っていて、自分たちで遠征のための資金まで準備しています。私は同意しました。それのどこがいけないんです？」

老人は黙っていた。彼が口を開くのを待たずに、私はつけ加えた。「彼らが独占権にたいして私にお金を支払うというのは、ここでのやり方なんです。サービスにたいしてはお金で返礼するんです。彼らは自分たちの出版物で、もっと多くの利益を得るでしょう」

老人は頭を垂れ、しばらく黙ったままだったが、ひとり言のような感じで話しはじめた。

「きみは企業的感覚でアナスタシアを売り、彼ら——自分たちだけが最もスピリチュアルで適格者だと決め込んだ人たち——が彼女を買った」

「非常におかしな言い方ですね。私がいったいどんな悪いことをしたっていうんです？」

「ちょっと聞きたい、ウラジーミル。きみや、その『スピリチュアルな人々』には、アナスタシア自身がいつ誰と話したいと思うか、たずねようとか知ろうとか理解しようとか、そういう考えが浮かぶことは一度たりともなかったのかね？　きみの同意もないのに、きみの家を訪ねてくる人などいるかい？　なんといっても彼女は一度も彼らを招いていないのに」

「もし彼らに会いたくなければ、会わなくてもいいんです。彼女が契約書にサインしたわけではないんですから」

「だが、きみはサインした！　たしかに彼女は自分の知っていることを誰にでも明らかに示そうとしている。だが、コミュニケーションの方法を選ぶ権利は彼女にあるんだ。アナスタシアが、本と、きみの言語を選んだのなら、それ以外のものを指図したり、要求したりする権利が誰にあるというんだね？　彼女が選択したんだ。だが、誰かがそれを変えたがっている。その目的は明白だ。

彼女は、自分たちをほかの誰よりも高いところに置く人々とは話をしないだろう。なぜなら彼らのうぬぼれが、彼女が大切にしている真実をゆがめ、変化させ、彼ら自身の考え方に合わせて調整することを知っているからだ」

「なぜ最初からそんなふうにすべて悪く考えるんですか？　この人たちはいろいろな教えにたいして関心が高いんです。彼らはとてもスピリチュアルです」

「彼らは、自分たちが誰よりもスピリチュアルだという独断のうえに立っている。スピリチュアルなうぬぼれは、死に値する大罪――プライドという自尊心――の冠たるものだ」

私は自分自身に苛立ちをおぼえたが、それがなぜなのかは判然としなかった。契約金はまだ受け取っていなかったので、私はその契約を破棄することができた。しかし、それから少し経って、私はまた、あるスピリチュアル・センターと契約を結んだ。その契約の内容は、私へのインタビューの独占権を彼らに与えるというもので、何ら有害ではないと考えたからだ。

とくに、その契約は私にだけ関わるものだったし、自分のことを好きなようにする権利は自分にあると考えたため、私はまたしても、彼らの頭の切れぐあいとスピリチュアルな知識に惹きつけられていたのだ。だが、結局は彼らも私も罠《わな》にはまっていて、間接的に私はアナスタシアを売り、彼らは彼女を買うという結果になってしまっていた。

このときは、アナスタシアの祖父ではなく、契約書を読んだモスクワのレポーターが、憤然として言ったのだ。「あなたはバカだ。アナスタシアを安売りしている。この契約書をしっかり読んで、よくよく考えてみたらいい。

あなたは、アナスタシアに関連することのすべてを解説する権利と、それを最も力があると思う情報ルートに載せる権利を、片務的契約で第三者に譲り渡した。それと同時にあなたは、何であれ、彼らの意見に異議を申し立てる機会を放棄した」

彼の言うことが正しいのかどうか、それを判断するのは難しい。そこで、ここに、その契約書からの条項をいくつか引用してみたい。

一　契約の趣旨

一―一　著者は、著者自身のビデオ撮影の独占権と、「アナスタシア」のテレビ番組（以下、「番組」と称する）制作に直接的あるいは間接的に関連するその他のビデオ・データの使用に関する独占権を譲渡する。前述の、制作者への権利の譲渡は、世界のすべての国々に及ぶものとする。

一―二　制作者は、自己資金を用いて、ひとつにつき三十分から四十分の長さの三つの番組を、ベータカムのプロビデオカメラで、各々一巻制作する義務を負う。

一―三　著者と制作者双方による同意と理解にもとづき、いかなるビデオおよび映画スタジオ、並びにケーブルテレビを含むテレビ業界との接触も、また、いかなる機器によるいかなるビデオ撮影も、さらに、このトピックに関するいかなるビデオ・データの使用も、制作者によってのみ、独占的になされるものとする。

著者は、本契約が有効である限り、ビデオ・インタビューを受ける権利および、番組と同じコンセプトと言葉を、直接的あるいは間接的に用いるビデオ・データを制作する権利をもたない。

私はアナスタシアの本の執筆と出版と販売に関連して起こった一連の出来事を分析して、ある結論に達した。自分たちを「非常にスピリチュアル」であるとわざわざ公言する人々は、たいてい裏の面をもっていて、それを自ら恐れ、その裏面ゆえに、自分たちのスピリチュアリティをことさら主張し、あるいはほのめかすよう、絶えずかりたてられているということだ。彼らはおそらく、人々にその裏面を見られるのが怖いのだ。

起業家はもっと単純だ。彼らの行動も志も、もっとオープンで、隠されていることはずっと少ない。その結果自分にたいしても、周りの人々、つまり一般社会にたいしても、ずっと正直だ。

こうした私の見解はまちがっているのかもしれない。だが、以下に述べることは否定しようのない事実なのだ。

『アナスタシア』のテキストは三人のモスクワの学生がタイプしてくれたが、彼らはその労力にたいして、即座の報酬などまったく期待していなかった。彼らはスピリチュアルな話はいっさいしなかった。

モスクワ・ナンバー・イレブン印刷会社の社長、退役将校のG・V・グルーシャは、印刷部数は少なく、損失のみが見込まれていた『アナスタシア』を、自費で出版した。この起業家のグルーシャも、スピリチュアルなことはいっさい口にしなかった。

次の増刷の費用はモスクワの書籍販売会社の取締役であるニキチンが支払ったが、あとになって、彼はその印刷した本を販売していなかったことが判明した。彼は印刷したものの大部分を私に回し、支払いにも締め切りを設定しなかった。この彼もスピリチュアルなことは何も口にしなかった。

「自称スピリチュアルな人々」が割り込んできて、こっそりと四万部を刷って発売したのは、そのあとのことだった。彼らの「スピリチュアルな」行動が明るみに出たとき、彼らは、自分たちのスピリチュアリティについて、そして何か光り輝くものを創造したいという自分たちの熱意について語り、印税を支払うと約束した。

それは今日に至るまで、まだ約束のままだ。これは珍しいケースではない。一般的に言って、

「自称スピリチュアルな人々」は、支払いを非常に軽視する。とくに、自分たちが支払う側にいるときには。

独占権の譲渡に関して、私はこの本の中で宣言することを決断した。宣言の内容は次のとおりである。「私は今後、アナスタシアの発言に関する解説についての独占権を、第三者に譲渡することは決してしない。もし誰かがその特権が与えられていると主張した場合には、それは、私が自発的に与えたものではないということを知ってほしい」

なぜ「自発的に」としたか？　その理由は、私が先の契約を破棄するのを手伝ってくれたモスクワのジャーナリストに、匿名《とくめい》の脅迫が殺到したからだ。彼らはいったい何者なのか？　何をほしがっているのか？　「自称スピリチュアルな人々」とはそういう人々なのか？

彼らはスピリチュアリティを不正な金もうけにすり替えてしまったが、私は彼らの計略をすべて知っている。これに実際巻き込まれてしまっている人もいるが、私はそういう人たちに、こういった詐欺の達人たちにもっと用心するように警告したい。何かを決定する前に、じっくりと時間をかけて徹底的に考えてほしい。その「自称スピリチュアルな人々」が、あなたをどこに連れていこうとしているのかを冷静に見極めてほしい。

アナスタシアに、こちらに来てテレビに出演してみないかと私が提案したときに、彼女がそれを拒んだということを第一巻に書いた。あのときにはその理由がわからなかったが、今では、彼女が何を予見していたかがはっきりわかる。本が出版されたあとでさえ、彼女の発言について多くの解釈や説明が現われた。じつにさまざまな類のものだった。

興味深いものもあれば疑わしいものもあったが、そういった点とは別に、私はあることに気がついた。彼女の発言を、自分たちの利益に都合よく解釈しようとする人々の欲である。それがはっきりと見えはじめたのだ。

直接的な発言さえあった。「あなたは自分が彼女と話をする権利をもつ唯一の人間だとお考えですか?」「あなたはすべてを理解してはいない。ほかの人に彼女と話をする機会を与えればもっと多くの良きものがもたらされる」といった発言だ。

だが、彼女は誰かに譲渡できるような物品ではない。彼女は人間なのだ! どのように行動するか、誰と話すか、何を話すかは彼女自身が決めることだ。有形無形の闇の勢力の集団が、狂信者や強欲な人々というかたちで、実際にアナスタシアを襲っているということが、日に日に明らかになってきている。

「私は闇の勢力の集団が、私を打ち砕こうとして、こぞってやってくることを知っている。でも恐れてはいない。私は私たちの息子を産み、育てていく。私が夢に描いたことを、彼が現実に見るその日のために。そして人々は闇の勢力の時間域を超えて運ばれる」とアナスタシアは第一巻の中で語っている。

アナスタシアの住む世界では、母親たちは十一歳まで子どもを育てる。つまりアナスタシアは少なくともあと十年間はもちこたえられるということだ。

「そのあとはどうなるんですか？」と私は彼女の祖父に聞いてみた。「彼女の死は避けられないのですか？」

「なんとも言えない」と老人は答えた。「ほかの者たちはみな彼女よりかなり早く亡くなっている。彼女も行く手に肉体の死が待ち受ける小道を何度もたどってきているが、いつも最後の瞬間に、他を凌駕《りょうが》する力をもった、今では忘れ去られている法が、再びぱっと燃えあがり、地球的存在の真実とその本質を照らし出して、彼女の地球的肉体に命を留まらせた」

老人は口を閉じ、物思いに沈みながら、再び杖で地面に何かのサインを書きはじめた。私も同じように考え込んでいた。「私はタイガに行って、この物語の中に巻き込まれるべくして巻き込まれたのだ！　もちろん、今はもう、このすべてを投げ出すことはできない。もっと前だったらできたかもしれないが、今は息子ゆえにそれができない。アナスタシアはわれわれの息子を産んだのだ。

彼女は赤ん坊の世話をし、育てているだろう。だが、彼女はいまだに、人々を闇の勢力の時間域を超えて運び出すことをあきらめていないし、決してあきらめないだろう。彼女はとてつもなく頑固なのだ。ああいう女性は決してあきらめようとしない。

この純真な女性を誰が助けるだろう？　もし私が彼女との約束を途中で放棄したら、彼女を助ける人は誰ひとりいない。彼女は混乱し自制心を失うだろう。これは育児中の母親に絶対あってはならないことだ。なにより授乳ができなくなる」

私は老人にたずねた。「私がアナスタシアのためにできることは何かありますか?」

「彼女の言っていることや願っていることを理解するように努めなさい。そうすれば、あれこれ思案しなくても、お互いの理解が深まってくる。温かい波動がきみの心を温め、世界に新しい夜明けが訪れる」

「もう少し具体的に言ってください」

「これ以上具体的には説明できない。多くの事柄において大切なのは誠実であること。だから、きみの心と魂が命ずることをしなさい」

「彼女はロシアの人里離れた小さな町について話していました。その町の周辺に、われわれの先祖たちが大切にしていた聖地がたくさんあるので、そこはエルサレムやローマよりも裕福になれるというようなことを言っていました。明らかに、それらの聖地は、エルサレムの神殿より意義深いところなのに、その町の人々はそれに気づいていないため、見に行こうともしません。私はそこに行って、この状況を変えたいんです」

「すぐにできることではないよ、ウラジーミル」

「でも、私はそれが不可能とは知らずに、アナスタシアにそうすると約束してしまったんです。だから、少しでも状況を変えないと」

「不可能ときみが思わないのだから、きみは状況を変えるだろうよ。成功を祈るよ! だが、私はもう行かないといけない」

「見送ります」

「時間を無駄にしちゃいけない。見送る必要はないよ。きみがやろうとしていることについて考えなさい」

老人は立ちあがり、私に手を差し出して握手を求めた。

私はアナスタシアの祖父が路地を遠ざかっていく後ろ姿をじっと見つめ、近々行くことになるゲレンジークへの旅に思いをはせた。アナスタシアがその場所について語った言葉を思い出しながら。そのときの会話がどのようにはじまったかを次に記しておきたい。

聖なる地、ロシア！

「リンギング・シダーにはよく出会うものなのかい？」と私はアナスタシアに聞いてみた。

「めったに、めったに出会わない」と彼女は答えた。「たぶん、千年の間に二回か三回ぐらい。今は、この助かったシダーのほかにもうひとつある。それは伐採《ばっさい》して、意図に沿って使うことができる」

「『意図に沿って使う』ってどういうこと？」

「人間とその周りのすべてを創造された宇宙の偉大なる知性、神は、人間に、失ってしまった能力を回復し、非物質世界に蓄積されている叡智を利用する機会を与えなければならなかった。

この叡智は世のはじまりのときからあったのに、人間は罪深さのゆえに、それを感知する能力を失ってしまった。

祖父と曾祖父はリンギング・シダーと、その並外れた癒しの特性についてあなたに話したけれど、リンギング・シダーのリズムと振動が、宇宙の偉大なる知性にとても近いということを説明しなかった。このリズムと振動が結びつき、多くの人々の中に備わっているリズムによってさらに増幅される。

リズムをもつ人が、リンギング・シダーの温かい幹に手のひらをあて、そのままなでおろすと、その人は無限大の叡智の集合体と交信する機会を得る。

彼はその交信の瞬間に考えていたことの領域に関して、さらにそのあとに考える領域に関して非常に多くのことを理解できるようになる。この現象の起こり方は、各個人によってその度合いが異なる。私は、至高の顕現《けんげん》、つまり最高のかたちで現われる場合について話している」

「でも、どうして人によって受ける影響が異なるんだい？　リンギング・シダーが人を選ぶっていうことかい？」

「リンギング・シダーはつねに同一の働きをする。そのリズムと振動はいつも一定で変わらない。でも、波長を完全に合わせて、すべてをまるごと感じる人もいるし、ほんのかすかに感知する程度の人もいる。

多くの人はすぐには何も感じないけれど、そういう人たちにさえ、理解力の深まりは徐々に訪れる。少なくとも、それを感じ取る可能性は増してくる」

「よくわからない。リンギング・シダーは何を選んでいるんだい？」

「ウラジーミル、私は言ったはずよ。それは木の問題じゃない。人間の側の……そうだ！　とてもいい例を思いついたわ。音楽よ！　音楽を聞くとき……音楽も振動とリズムでしょ。ある人はその音楽を引き込まれるように聞いて感情を揺さぶられ、ときには喜びと愛に満たされて涙さえ流したりするけれど、また別の人はその同じ音楽を聞いても、何も感じないし、まったく聞きたいとも思わない。

シダーについても同じことが言える。それを感知し、気づきを得る人々のみが多くのことを聞く。そしてそれは、その人が何かを真剣に考えたいと思うときに彼らの内に次第に明らかに示される。

女性たちは、根源なるものの力と叡智とを獲得して目的を達成し、自分の選んだ男性と、自分自身と、愛のもとに生まれた子どもを幸せにする。ここでも、奇跡はシダーにあるのではなく、人間の熱い望みの中にある。シダーはただそれを助けるだけで、その良きものの達成における立役者ではない」

「素晴らしい！　まるで美しい伝説みたいだ」

「あなたは信じないの？　今私が言ったことはたんなる伝説だと思うの？　それならなぜ、苦労してここまでやってきて、私にリンギング・シダーを見せてほしいとあんなに熱心に言ったの？」

「いや、全部が全部伝説だとは思っていないよ。きみのおじいさんと曾おじいさんからリンギング・シダーの話を聞いたときも、はじめは信じていなかった。

そのあと遠征から帰って、一般向けの科学書を読み、科学者たちがシベリア杉の癒しの力に関して述べている内容を知って、科学者たちの言うことと聖書の記述が一致していることに驚いた。だが、きみが言うような、シダーをとおして宇宙の知性あるいは神とのつながりを感知する可能性については、ほぼそれに近いことさえどこにも書かれていない」

「あなたは科学者たちの発言や聖書を注意深く読んでいなかったか、あるいは、いちばん大切なことを見落としていたかのどちらかよ。そうでなければ、私の言ったことを疑うはずがない」

「いったい何を見落としていたって言うんだい？　たとえば、聖書が杉について述べている箇所は二つしかない。神が杉の助けを借りて人々を癒す方法を教えているところと、そのあとに出てくる、住まいを清める方法を教えているところだ」

「でも聖書には、最も賢い王のひとりで、人々に最も尊敬されていたソロモン王についても書かれている。ソロモン王は伝説上の人物ではなく、歴史上に実在した人物よ」

「だから？」

「聖書には、この王が神に捧げる神殿を杉で建設し、自分の住居もその神殿のとなりに杉で建てたと書かれている。さらに、その杉を確保するために、彼は三万人以上もの人々を雇い入れ、その人々が別の国からそれを運んだとも。

　杉の木を伐り倒すために、ソロモン王はヒラム王のもとをたずね、『木を切るに巧みな者たち』をくれるよう要請した。この杉のために、ソロモン王は、自身の王国内の二十の町をヒラム王にあげた。

考えてみて。なぜ、世の支配者の中で最も賢い王が、強固で立派な素材が身近にあるのに、それよりも頑丈さでは劣る素材で神殿と住居を建てるために、そんなにも大金を使ったのか」

「なぜなんだい？」

「その答えも聖書の中に書いてある。『そして祭司たちが聖所から出たとき、雲が主の宮に満ちたので、祭司たちは雲のために立って仕えることができなかった。主の栄光が主の宮に満ちたからである』（＊列王記上第八章十節〜十一節）すぐれた科学者たちの発言の中にも間接的な証言を見つけることができるはず」

「すごい。それは信じられると思う。シダーは人々に多くの秘密を明らかにするというわけだね。伐採できるリンギング・シダーを見せてほしい。シダーに触ってみたいという世界中の人たちが、簡単に来れそうな町にもっていこうと思うんだ」

「そんな町が今どこにあるの？　住民がこの神聖なものを汚さず、それを保護することを保証し、人々がそれに近づくための適切な環境を整備できる町が」

「なんとかして見つける努力をしてみる。なぜきみはそれが難しいと決め込んでいるんだい？」

「今の人々の意識は、技術優先世界のプログラムによってとても不自然になっている。彼らは、バイオロボットに似てきている」

「バイオロボットって何のことだい？」

「技術優先世界は、人間が、あらゆる類の機械装置と社会秩序を、おそらく自分たちの生活をより楽なものにするために発明するという形で成り立っている。実際は、楽になっているというのは錯覚なのだけれど。

人間は、技術優先世界のロボットになりつつある。彼には、存在の本質について考えたり、ほかの人の話に耳を傾けたり、自分自身の運命について真剣に考えたりする時間が恒常的に不足している。

彼はプログラミングされたロボットのよう。あなたも、ここですべてを自分自身の目で見て、自分自身の耳で聞いているのだけれど、それを信じるのが難しい」

「アナスタシア、私の場合はちょっとちがうんだ。私は自分を強い信仰者とは呼べない。基本的には信じているが、たぶん、ほかの人たちとはちがう信じ方なんだ。今の時代は、ほんものの信仰者がたくさんいる。

多くの信仰者が聖書を読んでいる。彼らは聖書が杉の木についてどれほど多くを語っているかを知れば、瞬時に理解すると思う。彼らは信じて、きみのシダーの一片を大切に扱うよ」

「信仰はさまざまなかたちをとるのよ、ウラジーミル。人はしばしば、コーランや聖書、あるいは根源なるものの叡智が記されているほかの書物を掲げて、自分はこれを信じていると言い、それをほかの人たちに教えようとさえする。でもそれは、ただ神と取引しているにすぎない。『私はあなたを信じます。万一のときには、私の信仰を憶えておいてください』と言って」

「それじゃあ、信仰っていったい何？　どんなふうにそれを表現すべきなんだい？」

「生き方において、世界観において、自分自身の本質と目的についての理解において、自分のおかれた環境にたいする一貫性ある行動と姿勢において、その意図において」

「ただ信じるだけでは十分じゃないと言っているのかい？」

「ただ信じるだけでは十分じゃない。ある軍隊を想像してみて。すべての兵士が、いちばん位の低い者も含めて、指揮官を信じているけれど戦場には行かないという場面。彼らは指揮官を強く信じているので、彼ひとりで敵を打ち負かすだろうと思っている。それで、兵士たちはそこに座ったまま、指揮官が敵の大軍にたったひとりで立ち向かうのを見守っている。彼らは指揮官に向かって、『進め！　進め！　われわれはあなたを強く信じている！』と叫ぶ」

「その例はわかりやすいが、そんな、あまりにもばかげたことは現実には起こらないよ」

「こんなばかげたことが現実生活の中で起こっている」

「それなら、われわれの実際の現実生活の中から、ひとつ例をあげてみて。作られたものではなくて」

「わかった。ロシアにゲレンジークという名の町がある。そこは人々が日々のざわめきから解放されてくつろぎ、瞑想し、聖なるものと触れ合う場所。

　その町とその近郊には多くの聖地がある。これらの聖地がもつ意味は、エルサレムの聖地よりも、エジプトのピラミッドよりも大きい。

この町は世界で最も裕福な都市のひとつになりうる町。エルサレムやローマよりも豊かになれるのに、今は死にかけている。リゾートタウンだけれど、建物もホテルもからっぽで崩れかかっている。その地方の当局が、物質主義的意識に邪魔されて、この町を繁栄させる宝物に目を向けていない。

彼らは町を宣伝するときも、海や、人工的治療施設や、ホテルの部屋に備えられた食器棚や冷蔵庫について話し、聖地についてはひと言も話さない。彼ら自身がほとんど知らないし、知りたいとも思っていない。彼らにはほかの優先事項があるから。

この町には自分を信仰者だと言う人がたくさんいる。さまざまな異なる宗派の人々。その中には積極的に自分の信仰をほかの人に教え込もうとする人たちもいる。これはいったい何の信仰？

彼らは今日の私たちのために先祖たちが残してくれた聖なるもの、そしてご先祖たちの想いを汚してきたし、自分たちが尊んでいる書物の戒めにさえ違反している。たとえば、聖書には、『あなたのとなり人を愛せよ』（＊マタイによる福音書第二十二章三十九節）と記されている。

でも、隣人を愛するには、その人のことを知らないといけない。知らなければ愛することはできない。彼らは自分たちを信仰者だと考えているけれど、隣人についても、先祖たちについても知らない。先祖たちはその聖なる土地に暮らし、尽きることのない宝物、聖地を彼らに遺《のこ》してくれた。

先祖たちは数千年にわたり、ほとばしり出る叡智と彼ら自身の魂の光とを後世に伝えてくれた。

多くの人が自分を信仰者だと言っているけれど、彼らは自分たちの周りすべてを取り囲む神聖な存在――彼らを助けるために先祖たちが遺してくれた聖なるもの――にまったく気づいていない」

「その町にある聖なるものとは何なんだい？」

「あのね、ウラジーミル、ゲレンジークのとなりに、聖書に何度も出てくるレバノン杉が生えているところがあるの。イエス・キリストが現われる以前からすでに多くが語られていた神の直接の生きた創造物が、この町のとなりに存在している。樹齢はまだ百年。

十代の若者みたいな樹齢だけれど、すでにとても美しくて強い。なぜ、そこにあるかというと、ある立派な人物、コロレンコ（＊一八五三〜一九二一。ロシアの作家。代表作は、『マカールの夢』『盲音楽師』など）という名の作家がそこに植えたから。

彼はしばらくの間人々に崇拝されていた時期があって、そのため、人々は彼が植えた杉の木にも大切に囲いをしていた。でも今は、彼が住んでいた家も朽ち果て、人々はこの杉の木もほったらかしにしている」

「信仰者たちが？」

「この町に住む、自分を信仰者だと考えている多くの人は、この杉の木にも、そのほかの先祖たちが遺した偉大な聖なるものにも関心がない。彼らはむしろこれらのものを破壊していて、町は死にかけている」

「つまり、神は彼らに復讐《ふくしゅう》を加え、罰しているっていうこと?」

「神は慈悲深い存在。決して復讐などしない。だけど、自分の創造物が無視されたら、神に何ができる?」

「すごい! そんな木が本当に存在するのかい? 確かめてみないといけないな」

「それは確実に存在している。この町の周囲にはそのほかにも聖なるものがたくさんある。でも、人々はそれを、叡智あるファラオたちのピラミッドを見る観点と同じように、技術優先の世界観からしか見ていない」

「なんだって? きみはエジプトのピラミッドのことをどうして知っているんだい?」

「何代にもわたる私の先祖たちのおかげで、意識や叡智の住んでいる次元空間と交信できる能力が私の内に保存されている。それらと交信すると、自分の関心のあるすべてのことがらについて知ることができる」

「待って! ちょっと待って。確認させてくれ。きみはエジプトのピラミッドの秘密を知っているっていうのかい?」

「そう。ピラミッドの研究家たちが、一貫して物質面に焦点をあてて研究を進めてきたことも知っているわ。彼らは主に、ピラミッドがどのようにして建設されたか、その大きさ、各辺の比率、中に何が隠されていたか、どんな物体がそこにあったか、そういうことに関心をもってきた。

研究家たちはみな、ピラミッド建設の時代に生きた人々は迷信を信じていたと思ってきたし、宝石の類や、ファラオの財産や、彼の遺体や名声というものを保存するための手段として、ピラミッドを認識してきた。そのため彼らはピラミッドがもつ最も大事な知的側面から目をそらされてしまっている」

「言ってることがよくわからないよ、アナスタシア。研究家たちは、どんな知的側面を忘れてるって言うんだい？」

アナスタシアは、無限の彼方を見つめるような遠い目をして、しばしの間黙っていたが、そのあと、仰天するような話をはじめたのだった。

「あのね、ウラジーミル、はるかな古代、地球に住んでいた人々は、今の人々とは比較にならないほど、ずっと賢く生きられる能力をもっていたのよ。人々は根源なるものそれ自体に直接つながっていて、宇宙を満たすデータベースに含まれるあらゆる情報を、簡単に取り出して用いることができた。

この宇宙の情報は、偉大なる知性、すなわち神によって創られたもの。その情報は、神と人間と人間の意識とでさらに豊かになり、壮大なものとなっているので、いかなる疑問にも即座に答えることができる。それはそっと目立たないかたちで働き、人間の問いかけにたいする答えは、瞬間的に彼の潜在意識に現われた」

「それで、その宇宙の情報は彼らに何を与えたんだい？」

「彼らは、ほかの惑星に飛んでいくための宇宙船も必要としなかった。なぜなら、いずれにしても、彼らはそう望みさえすれば、ほかの惑星で何が起こっているかを見ることができたから。

これらの人々は、テレビも、地球を通信網でからめる電話も必要とせず、あなたがたが書物から得る情報も、ほかの方法で瞬時に獲得できるため、文書も必要としなかった。

また、彼らは製薬産業を必要としなかった。必要なときは、手のひと振りで、最上の薬を手にすることができた。なぜなら、治療薬はすべて自然の中に存在しているから。

これらの人々は今日のような交通手段を必要としなかった。車も必要とせず、食物の生産コンビナートも必要としなかった。なぜなら、すべてがそのままでまるごと彼らに与えられていたから。

彼らは、地球上のある地域での気候の変化は、その地域を休ませるための、ほかの地域への移動を促すサインであることに気づいていたし、宇宙のこと、惑星のことをよく理解していた。

彼らは深く思索する人々で、人間の目的を理解し、地球という惑星を完成させた。宇宙に彼らに匹敵する存在はなかった。知性において彼らより高かったのは、宇宙の偉大なる知性、すなわち神ご自身だけだった。

現在のヨーロッパ、アジア、アフリカの北部地域、コーカサスに発祥し実を結んでいた人類文明の中に、約一万年前、宇宙の知性とのつながりが、部分的にあるいは全面的に弱まり鈍くなっている人間が現われはじめた。

その時点から、地球規模の大災害へと向かう人類の漂流がはじまった。それは、科学者たちが予測し、古代宗教が比喩的に説いているような、生態学上の、あるいは核の、あるいは細菌学上の大災害」

「ちょっと待って、アナスタシア。その、欠陥のある人々の出現が、地球の大災害とどう結びつくのか私にはよくわからない」

「あなたが彼らにたいして使った『欠陥のある』という言葉は、まさに適切だわ。そう、彼らは、欠陥のある不完全な人々よ。目の見えない人には何が必要だと思う?」

「誰か案内してくれる人」

「耳の聞こえない人には?」

「補聴器」

「腕や脚のない人には?」

「義腕や義足」

「彼らはもっとはるかに大きいもの、宇宙の知性とのつながりを見失った。その結果彼らは、地球を完成させ運行させるために用いられるはずの知識を失った。超近代的な宇宙船の乗務員たちが、知性の九十パーセントを突然失ってしまった場合を想像してみて。

何もわからなくなって、彼らは船室内で火をおこすために羽目板を外しはじめる。制御装置から計器を取り外して装飾品やおもちゃを作る。宇宙の知性とのつながりを見失った人々は、こういう愚かな乗務員たちにたとえることができる。

この乗務員たちのように、あなたが言う、欠陥をもった不完全な人々は、まず石の斧《おの》と槍《やり》を発明し、その発明は、ついに核弾頭という極みにまで達した。今日まで、彼らは信じがたい執拗さで思考しつづけている。完璧な創造物を破壊して、自分たちの原始的な創造物に置き換えるために。

彼らは、世代を重ねるにつれてさらに多くのものを発明しはじめ、その一方で、多種多様の不自然な社会的取り決めによって、地球の自然の仕組みにストレスを与えはじめた。やがて人々はお互いに争うようになっていった。

こうした社会の仕組みや機械は、自然の仕組みとはちがって、みずからの力で生まれたものではない。そのため、自身を再生できなかったばかりでなく、損傷を受けても、たとえば木のように、もとの状態に回復することさえできなかった。

専門技術者たちは、これらの仕組みに仕える多くの人々を必要としたので、一部の人々を、簡単に言えば、バイオロボットに変えてしまった。これらのバイオロボットには真実を理解する個人的能力が欠如しているので、非常にコントロールしやすい。

たとえば、人工的な情報技術の助けを借りて、あなたは彼らの中に「われわれは共産主義体制を打ち立てねばならない」というプログラムをインストールすることができる。そして、そのためのシンボルを創り、サインを創り、ふさわしい色の旗を創ることができる。そのあと、同じ技術を用いて、あなたは別の人たちに、「共産主義はまちがっている」という異なったプログラムをインストールすることができ、異なるシンボルと異なる色の旗を創ることができる。

　これらの異なるプログラムをインストールされた二つのグループは、互いに相手を身体的に滅ぼし尽くすまで、止むことのない憎悪感で憎みあうようになる。こうしたことは、宇宙の知性とのつながりを失った人々が、おびただしい数にふくれあがった一万年前にはじまった。本当に、彼らは狂人とも呼べる人たち。なぜなら、いかなる生きものも、彼らのようなやり方で、地球から略奪するようなことはしないから。

　その遠い古代に、宇宙の叡智をまだ自由に活用できる人々がわずかに残っていた。

　そういう人々は考えた。呼吸できなくなるほど空気が汚れ、危険で飲めなくなるほど水が汚染され、人間が創りあげた、生命維持のための人工的な技術社会システムが、ますます頻発する事故によって、愚かで非現実的なものであることを自ら証明し自滅を迎えるとき、人間は真剣に考えるだろうと。彼らはそこに希望を託した。

　断崖絶壁に立たされた人間は、そこで、人間存在の本質について、人生の意味や目的について真剣に考えるようになる。そうすると、多くの人々が根源なるものの真実を獲得したいと願うようになる。それは根源なるものの力が彼らの内に回復されたときに可能となる。

　一万年前、人々の中のわずか一握りの人が、その力を失うことなく保持していた。おもに、共同体の長にあたる部族の指導者たちだった。彼らは、というより、彼らの指示に従った人々は、重く平たい板状の石で特別な建造物を建設しはじめた。

建物の中には小さな部屋が作られ、その面積は約一・五メートルかける二メートルで、高さは約二メートル、あるいはそれより多少高かったり低かったりした。屋根にあたる部分に石板が内側に向かってかすかに傾斜して置かれていた。この小部屋は、ときには一枚岩からなる石を切って作られていたり、また、ときには、この部分は地下に隠れていて、上の部分が塚になっているものもあった。

彼らは、小部屋の一方の壁である石板に、直径約三十センチの円錐《えんすい》状の穴を開け、さらに、みごとにぴったりと合う石でそこに栓をした。

宇宙の叡智を用いる能力を失っていない人々がその小部屋、つまり、埋葬室に入っていった。そのとき生きていた人々も、数千年後に生まれた人々でさえも、その建造物のある場所に行けば、自分が発するどんな疑問にたいしても、答えを得ることができた。

そのために彼らがやるべきことは、その小部屋のそばに座り、瞑想することだった。あるときは、答えは瞬時に与えられ、またあるときは、あとになって与えられたが、答えは必ず来た。なぜなら、この建造物と、永遠の世界に向かってこの中に入っていった人々は、情報の受け取り手の役割を果たしていたから。この建造物と彼らをとおして宇宙の知性につながるのは、容易なことだった。

これらの石の建造物はエジプトのピラミッドの原型よ。ピラミッドはずっと大きいけれど、その情報の受け取り手としての力はこれらの建造物よりは弱い。でも、その本質と目的は同じ。

エジプトのピラミッドに埋葬されているファラオたちもまた、深く思索する人々で、根源なるものの力を部分的に保持していた。

でも、ピラミッドの助けを借りて、疑問にたいする答えを得るためには、人々はピラミッドのところに、ひとりずつではなく、大勢で一度にやってこなければならなかった。

彼らはピラミッドの東西南北の四方に分かれてそれぞれ立ち、自分の視線と思いの焦点を、その斜めの斜面をなぞるようにしてピラミッドの頂上にあてる。ピラミッドの頂点で、人々の視線と思いが一点に集まり、それによって、宇宙の知性とつながるチャンネルが形成された。

今でも、同じことができるし、望んだ結果も得られる。人々の思いを一点に集めると、その焦点には、放射線に似たエネルギーが形成される。その焦点となるピラミッドの頂点に計測装置を置くと、そこにはこのエネルギーの存在が計測されるはず。ピラミッドの下に立っている人々も同様に、いつもとちがう特別な感覚に見舞われる。

現代人が、罪深い、プライドという自尊心をもっていなければ、そして、過去の文明は幼稚なものであったという、誤った、しかも、一般に行きわたってしまっている考えをもっていなければ、ピラミッドの本当の目的を理解することができるはず。

現代の研究家たちはピラミッドの建設方法のほうに重大な関心を寄せていて、いまだにそれがどのような方法で建設されたのか判断できないでいる。じつはね、それはとても単純なこと。建設の期間中、彼らはいつも、物理的な力とさまざまな装置のほかに、重力を減らす意識エネルギーを用いていた。

こういった能力をもつ人々が力を結集して、ピラミッド建設に従事する人々を助けた。今でも、世界には小さな物体を意識の力で動かせる人々がいる。

宇宙の知性とのコンタクトを成立させる効果において、ピラミッドよりもはるかに大きくはかり知れない力をもっているのが、この、ピラミッドに先立つ、ずっと小さな石の建造物なの」

「どうして？　アナスタシア、その構造のせいなのかい？　それとも、その形？」

「なぜなら、生きている人々が、死ぬためにその中に入っていったからよ、ウラジーミル。彼らの死は独特のものだった。彼らは永遠の瞑想に入っていった」

「どういう意味？『生きている人々』って。どうしてそんなことをしたんだい？」

「子孫たちが根源なるものの力を取り戻せるよう、その可能性を開くために彼らはそうした。原則として、年長の、最も叡智ある指導者か長老のうちのひとりが、自分の死期が迫っていることを察知して、自分を石の小部屋に運んでくれるよう親戚や親しい人々に依頼し、それらの人々が、彼をそれにふさわしいと考えれば、そのようにした。

人々は重くて大きな石板の屋根を横に動かした。彼は石の小部屋に入り、人々は再び彼の上に屋根を閉じた。彼は外の物質世界から完全に隔離された。彼の目は何も見ず、彼の耳は何も聞かなかった。

この完璧な隔離。意識においてさえ戻ることはかなわず、かといって死後の世界へと足を踏み入れたわけでもなく、通常の感覚器官である視覚、聴覚を遮断されたこの状態が、大宇宙の意識との完璧な交信への可能性を開き、現世に起こる多くの現象や人々の行動にたいする理解への可能性を開いた。

最も重要なことは、彼が得たその理解がそこにそのままとどまり、その後に残された生きている人々の中に、さらには、そのあとに続く世代の中に、伝えられていくということ。今でも、ほぼ同じような状態をあなたがたは瞑想と呼ぶけれど、この永遠に向かう瞑想とくらべれば、それは子どもの遊びのようなもの。

そのあと、人々はこの石の小部屋の前にやってきて、穴をふさいでいた石を取り外し、小部屋にただよっている意識を想い、助言を求めたりした。そこにはいつも叡智のスピリットが存在していた」

「でも、アナスタシア、きみは今生きている人たちに、どうやって証明できるんだい？　この建造物の存在と、人々がこの中で永遠の瞑想に入っていったって」

「私はできる。だから話している」

「どうやって？」

「とても簡単に。そもそも、この石の小部屋は今も存在していて、あなたがたはそれをドルメンと呼んでいる。直接それを見て、触って、私の言っていることのすべてを確かめることができる」

「なんだって？　どこに？　きみはその場所を教えられるのかい？」

「そう。ロシアでは、たとえば、コーカサス山脈の中。今はゲレンジーク、トゥアプセ、ノヴォロシースク、ソチと呼ばれている町からさほど遠くないところ」

「たしかめてみよう。それを見るための旅を計画するよ。そんなことがありうるのかどうかわからないが、とにかくたしかめてみる」

「もちろん、たしかめてみて。そこに住んでいる人たちはドルメンの存在を知っているけれど、それに何の意味も感じていない。多くのドルメンはすでに略奪され、荒らされてしまっている。人々はドルメンの本当の目的を知らない。宇宙の叡智とコンタクトするために、ドルメンを用いることができるということを知らない。

　永遠の瞑想に入っていった人々は、肉体や物質的な何ものにも二度と入ることができない。彼らは子孫のために、永遠を犠牲にした。そして彼らの叡智と可能性は引き取り手がないまま宙に浮いている。ここに彼らの最大の嘆きと悲しみがある。

　大昔の人々が、死ぬためにこの石の小部屋に入ったという証拠は、ドルメンの中で発見された、人骨の位置で裏付けられる。あるものは横になり、あるものは隅に座り、またあるものは石のかべによりかかってもたれていた。

　この事実は、現代の人々によって認証され、科学者たちによって描写され記述されたけれど、また再び、彼らはそれ以上の意味をここに見出していない。彼らは、ドルメンに関する真剣な研究をしていないし、住民たちはドルメンを撤去し、石板を建築資材として使っている」

アナスタシアは悲しげにうつむいて口を閉じた。私は彼女に約束した。「私が説明するよ。彼らにすべてを説明する。彼らはもうドルメンを略奪したり、粉砕したりしなくなるよ。嘲笑もしなくなる。そもそも彼らは何も知らなかっただけなんだから」

「あなたは彼らに説明できると思うの？」

「やってみる。その地域に行って、説明してみる。どうやって説明するかはまだわからない。まず、ドルメンを見つけて、敬意を込めておじぎをし、人々にすべてを説明する」

「それでいいと思う。それから、その地域に行ったら、私の女性のご先祖が亡くなったドルメンに敬意を込めておじぎをしてほしい」

「驚いたなあ、きみの女性のご先祖がこの地域に住んでいて、どんなふうに亡くなったかなんて、どうしてわかるんだい？」

アナスタシアは答えた。「ウラジーミル、どうしてあなたは、自分の先祖がどのように生きて、何をしたかを知らないままでいられるの？　彼らが何を願い、何をめざして奮闘したのかを知らないままで平気なの？　私の女性のご先祖は人々の記憶に刻まれるべき人。私の母も、その母も、その上の母たちも、彼女の叡智を知っていたし、その叡智が今の私を助けてくれている。

私の女性のご先祖は、赤ちゃんに、授乳をとおして、宇宙の叡智を活用する能力を与える方法を完璧に知っていた。彼女が生きていた昔の文明社会でも、人々はすでに、現代人と同様、授乳がそれほど意義深いこととは考えなくなっていた。

授乳のときは、決してほかのことで気を散らしてはいけない。赤ちゃんのことだけを考えないといけない。私の女性のご先祖は、何をどのように意識すべきかを知っていたし、その自分の叡智を、すべての人に伝えたいと思っていた。

彼女はそれほど年老いていなかったけれど、自分をドルメンに入れてほしいと部族の長に頼みはじめた。なぜなら、この部族長は年老いていて、次の長になる人は決して彼女の要請を受けてはくれないことを彼女は知っていたから。女性がドルメンに入れることはめったになかった。

その年老いた長は、私の女性のご先祖を尊敬していて、彼女の叡智を貴重に思っていたので、彼女に許可を与えた。でも彼は、男たちにドルメンの屋根の重い石板を横に動かして彼女の上に再び閉じる作業を強要できなかった。その結果、女性たちが、自分たちだけで、この作業を全部やってのけた。

でも、彼女のドルメンには、長い間、誰ひとり訪れていない。彼女がなんとしても伝えておきたかった叡智に、誰も関心をもっていない。彼女はすべての子どもたちに幸せであってほしいと願い、その親たちすべてを幸せにしたいと願っていた」

「アナスタシア、きみがそう願うなら、私はそのドルメンに行って、赤ん坊にはどのように授乳すべきなのか、何をどのように意識すべきなのかをたずねてみるよ。それがどこにあるのか教えてくれる？」

「わかった、場所を教えるわ。でも、あなたは彼女を理解できないと思う。あなたは授乳する母親じゃないから。自分の赤ちゃんに授乳する母親が何を感じるか、あなたは知らない。女性たちだけ、授乳する母親たちだけが、彼女を理解することができる。

あなたはただ行って、このドルメンに触ってみて。私の女性のご先祖について何かいいことを想って。彼女はとても喜ぶと思う」

二人してしばらくの間、黙っていた。ドルメンまでのルートに関する細かい説明――それは、あとになって、正しいことが確認された――に驚いて、私はドルメンの存在そのものについての疑念は口に出さなかった。

ただ私は、私にとっては目に見えず推測不能な宇宙の叡智なるものと、コンタクトできるという証拠を見せてほしいと彼女にせがんだ。

それにたいしてアナスタシアは、「ウラジーミル、もしあなたが、私の言うすべてのことを疑いつづけるなら、私が証拠をあげたとしても、それも推測不能で納得できないものとして残ってしまう。そうして二人とも、これに多くの時間を費やさなければならなくなる」と言った。

「怒らないで、アナスタシア。でも、きみの、ふつうとはちがう隠遁生活が……」

「私が地球上のすべてのものだけではなく、さらにもっと多くのものとコンタクトしているとしたら、それを隠遁生活と呼べる？　地球上には、自分に似た人々に囲まれていながら、すべてから遮断された隠遁者のように、まったくの孤独の中に生きている人がたくさんいる。人がひとりでいるのはさほどつらいことではないけれど、人々に囲まれていながらたったひとりというのは、つらいことよ」

「それはそうだ。だがね、きみの言った、人類文明が生み出してきた意識が存在している次元空間についてだって、もし、われわれの世界の権威ある科学者のうちの誰かがそれに言及していたら、人々はきみが言うよりも彼らの言うことを信じるよ。それが現代人というものなんだ。彼らにとっては科学がすべての根拠を示す権威なんだよ」

「そういう人々はいるわ。彼らの意識を私は見てきた。名前をあげることはできないけれど。あなたがたの基準からすれば、この人たちはたぶん権威ある科学者たちだと思う。彼らは多くのことを考える機会に恵まれている。あなたはドルメンに行って、証拠を探せばいいわ。そして帰ってきたら、私の言ったすべてのことと、その証拠をくらべてみて」

＊　＊　＊

コーカサスに着いた私は、ゲレンジークからさほど遠くない山でドルメンを見つけ、それをカラーフィルムに収めた。地元の歴史博物館の職員たちも、ドルメンについては知っていたが、そこにさほどの意味をもたせていなかった。

アナスタシアの女性のご先祖が埋葬されたドルメンも見つけた。私はおじぎをして、苔《こけ》におおわれた石の穴に花束を置いた。

アナスタシアが言っていたことの、目に見えて触れることのできる確証。そのドルメンを私は自分の目で見たのだった。そのときまでに私は、ソロモン王の杉にたいする姿勢について、聖書の列王記を再度読み返していた。

科学者でもない私には、アナスタシアが言っていたことの確証を得るために、多くの科学的資料にあたって調べあげようという計画はなかった。

だが、信じがたいことに、シベリアのタイガの奥の若い世捨て人は、遠く離れた地にいながら、それも、現代科学が用いる言葉で、自分の言っていることのすべてを確証していた。宇宙の知性の存在について語っている科学的な資料を、人々が私のもとにもってきてくれたり、送ってくれたりしたのだ。

本書のはじめの部分で、私は、ミラクルズ・アンド・アドベンチャーズ誌の一九九六年五月号に掲載された、ロシア医学アカデミーの会員で、臨床実験医学学会理事のV・カナチェエフ教授と、ロシア自然科学アカデミー・理論および応用物理学国際学会理事のA・E・アキモフ教授の発言を引用した。

＊　＊　＊

私はゲレンジークの聖地についてこの章を書き、ドゥルズバ（＊ロシア語で友情を意味する）・サナトリウムの職員のひとりがそれをコンピュータに入力してくれた。その原稿をサナトリウムの職員たちが、本が出版される前に読んだ。そして何が起こったかというと……。

一九九六年十一月二十六日、モスクワ時間の午前十時半、一見センセーショナルでもなく珍しくもない出来事があった。だが、私は、これは世界的に重要なことだと確信している。

ある女性たちのグループが、ゲレンジーク地区、プシャダ村からさほど遠くない山の中にあるドルメンに向かって歩いていた。彼女たちはドゥルズバ・サナトリウムの職員たちで、V・T・ラリオノヴァ、N・M・グリバノヴァ、L・S・ツェギンツェヴァ、T・N・ザイツェヴァ、T・N・クロウスカヤ、A・G・タラソワ、L・N・ロマノワ、M・D・スラブキナの計八人だった。

ときたまこの場所を訪れて、自然の美しさを讃え、山の中にひっそりと佇《たたず》むドルメンをぼんやりと見つめる観光客たちとはちがって、彼女たちは、おそらくこの千年間で初めて、自分たちの遠い先祖が遺した遺跡に敬意を表するために、ドルメンに向かって歩いていた。

彼女たちは、一万年以上も前に生きていた自分たちの氏族の長、そのひとりの賢者が遺した遺跡に敬意を表したかったのだ。彼は数千年のときを超えて宇宙の叡智を子孫に伝えるために、自ら進んで、生きたまま小さな石の部屋に自身を閉じ込めた。

いったい何千年の間、彼の努力が無に帰していたのか、それを推測するのは難しい。古代の石に、心なき破壊者たちの、今世紀に入ってからのものと思われる落書きが、ひっかき傷のように刻まれ、ドルメンの穴はむりやり削られて広がっていた。

前世紀にさかのぼってみても、ドルメンにやってきた人々は、ここに埋葬された人間のことや、彼の叡智や、生きている人々のために自身を捧げたいという彼の願いや望みについて、思いが至ることはなかった。それを裏づけるような研究論文——革命前に書かれたものや、もっと最近のもの——を、残念ながら私は見つけたのだ。

科学者や研究者や考古学者は、ドルメン自体の規模や形態に、より大きな関心をもっていた。彼らは驚愕しながら、古代人がどうやって何トンもの重さの石板を、今のような形にして、まっすぐに立たせたのかを、解明しようとしていた。

ドルメンのそばに立っている女性たちと、彼女たちがもってきて石の穴の入口に置いた花々を見ながら、私は思った。「われわれの賢いご先祖よ、あなたが最後に花束を捧げられてから、何百年、あるいは何千年経ったのだろうか？　今、あなたの魂は何を感じているのだろうか？この瞬間、そちらの世界では何が起こっているのだろうか？

あなたは、われわれの遠い祖先。だが、私には今とても近くに感じられる。あなたは今、あなたの努力がむだではなかったという初めてのしるしとして、そして、現代に生きるあなたの子孫たちが、少なくともその一部の人々が、もっと覚醒した生き方を切望していることのしるしとして、これらの花々を見てくれているだろうか？

これは、ほんの最初の花。たぶん、もっともっとたくさんの花がやってくるけれど、これが、最も切実に待たれた最初の花。あなたは、今に生きる人々が、宇宙の叡智を得て、存在そのものについての気づきを得られるよう助けてくれる。あなたはわれわれの遠い祖先……」

ドルメンへの旅の参加者の中に、ゲレンジーク衛生疫学局（ＳＥＳ）に勤務する医学博士、Ｅ・Ｉ・ポクロフスキーがいた。彼は、ツアーガイドのＶ・Ｔ・ラリオノワに招かれていたのだ。彼女は地方史家でもあり、ドルメン周辺のバックグラウンド放射線（＊土、空気などに含まれる微量の放射線）を測定してもらうという目的でポクロフスキーを招待したのだった。

彼女から聞いた話によると、以前、このドルメンに向かう途中、観光客のひとりがガイガーカウンター（＊宇宙線、放射線の検出ならびに測定用装置）を所持していて、測定を開始させると、ハイレベルの放射線の数値を示したという。

その観光客は他の旅行者たちを驚かせまいとして、ラリオノワをそばに呼び、カウンターを見せ、ドルメン周辺に放射能が存在していると告げたのだそうだ。

今回、ＳＥＳ地方局の局員は、特別なケースに入った、かなり精密で正確な計数器を持参していた。彼はドルメンに近づく前から、地面のバックグラウンド放射線の読み取りを開始し、そのまま近づいて、ドルメン自体と、さらにドルメンの中まで計測を続けた。

女性たちのグループがラリオノワの話を聞いている間、私はどんどん不安になっていった。この計測結果を記録しているＳＥＳ局員が、それを全員の前で発表するのではないかと思ったのだ。

しかもこれは、たんなる観光客の発言ではなく、公的機関による断定となる。高い放射能について知れば、人々はドルメンにやってこなくなるかもしれない。

アナスタシアは、放射能に似たこのエネルギーは現われたり消えたりできるもので、人間がコントロールしやすく、人間に良い影響をもたらすと言っていた。

だが、現代科学の主張と、現代機器によって読み取られた単純明快な数値にくらべて、誰が見てもふつうとは言い難いひとりの女性の発言が、われわれ現代人にとってどんな意味をもつというのか？　とくに、現代人が非常に恐れる放射能に関しての話なのだ。

ああ、なんてことだ！　と私は思った。可哀想なアナスタシア！　彼女は、人々がこれら古代の祖先たちの特別な墓所を、もっとちがったふうに、大切に扱ってほしいと切実に願っていた。

数値が公的なものとして発表されてしまえば、少なくとも誰もドルメンに近づかなくなるだろうし、最悪の場合、ドルメンは完璧に破壊されてしまうかもしれない。以前のように、建築用として用いられることさえないだろう。

だがもし、本当に宇宙の知性というものが存在しているなら、そして、もしアナスタシアが本当にそれを自在に活用できるというのなら、ご先祖たちに今、何か策を打ち出してもらおう。

E・I・ポクロフスキーはドルメンのそばに立っていたドゥルズバの職員たちのほうに近づき、計数器の数値を発表した。それは信じがたい内容だった。あまりの驚きと、たとえようのない喜びが私をとらえた。

読み取られた数値によると、地面と周囲のバックグラウンド放射線が、少なくともドルメンに近づくにつれて、減少していたのだ。

ドルメンに向かう途中、われわれ一行はバックグラウンド放射線がほかより高い区域を通っていたので、これはいっそう信じがたいことだった。ドルメンのそばに立っている彼女たち自身も、彼女たちの衣服や靴も、放射能を運んできているはずだったからだ。

それにもかかわらず、計数器はバックグラウンド放射線の減少を示していたのだ。あたかも目に見えない誰かが、われわれに向かって語りかけているようだった。「人々よ、私たちを恐れないでほしい。私たちはあなたがたの遠い祖先。あなたがたの幸せを願っている。子どもたちよ、私たちの叡智を受け取りなさい」と。

私は突然気がついた。アナスタシアだ！　こういうことが起こったのは、結局、彼女のおかげなのだ。数千年のときを超えてつながる見えない線を描き、今生きている人々を最も古い文明につなぎ合わせたのは、このドルメンから数千キロも離れたところにいるアナスタシアなのだ。彼女は善なるものを切望する人々の意識に、ひとつの突破口を開いた。

今は、少数の人々にしかその影響は及んでいないかもしれない。だが、これはほんのはじまりにすぎない。そして、これはまぎれもなくほんものの出来事だ。なぜなら、私の前にはほんもののドルメンがあり、ほんものの女性たちがいて、彼女たちがもってきた花々は、触れることのできるほんものの花々なのだから。

科学文献には、ドルメンはトゥアプセ、ソチ、ノヴォロシースクの近辺や、イングランド、トルコ、北アフリカ、インドに見られると記載されている。

これは、同じひとつの文化を共有する非常に古い文明が存在したことと、それぞれがとてつもなく離れた場所にありながら、互いに情報を伝達しあっていたという可能性を確証するものだ。アナスタシアからの情報がほかのドルメンにも同様に広がっていくにつれて、もしそれが保存されていれば、まちがいなく、それらのドルメンにたいする人々の姿勢も変わっていくだろう。

ゲレンジークの人々の反応がそれを証明してくれている。実際、ドルメンについての驚くべき情報を再発見した最初の旅は、ツアーガイドのV・T・ラリオノワに率いられてゲレンジークで実現したが、三十年来の地方史家で、地方議会の議員でもあった彼女は、自分自身を、「最も幸運に恵まれた最も幸せな女性」と称した。

これだけではなかった。ラリオノワが責任者を務めるゲレンジークの地方史家たちのグループが、それまでに知られているさまざまな事実を比較検討したり、老人たちと話をしたり、聖人たちの伝記を研究したりして、ゲレンジーク近郊にアナスタシアが語った聖なる遺跡が存在することを確認したのだ。

このロシアの個性的な聖なる遺跡は、そのほとんどが、どんなパンフレットにもまったく載っていない。それらは、「レバノン杉」や、「聖ニーナの山」と呼ばれる修道院や、「聖なる手」と呼ばれる癒しの泉などである。「聖なる手」の泉で癒された人々は、布を木の枝にリボンのように結ぶ。

ゲレンジーク地域では、ひとつの教会が修復されているし、トロイツェ・セルギー大修道院の分教会も建設中だ。私はこれらすべてを見て思った。

「ロシアのこの狭いひとつの地域だけで、こんなに多くの聖なる遺跡があり、癒しの泉がある。ロシアの人々は異国の神々を拝むために山を越えて遠くまで出かけていくが、このロシアに、忘れ去られた聖なる遺跡はどれだけあるのだろう。誰がそれを発見するのか……」

私は自分のできることをした。もちろん、情けないほどにわずかなことしかできなかったが、今、私はアナスタシアが息子に会わせてくれるだろうという希望をもっている。

ベビー服とおもちゃとベビーフードを買い込み、アナスタシアに再会し、息子に会うために、私はシベリアのタイガに向かって出発した。


つづく……

著者から読者のみなさまへ

現在、いくつかのインターネット・ウェブサイトが、「響きわたるシベリア杉」シリーズの主人公アナスタシアのもつ思想によく似たものを伝えています。

これらのウェブサイトの多くは、公式サイトであると主張し、「ウラジーミル・メグレ」の名を用いていて、送られてくる手紙に私の名前で返信までしています。

これにたいして私は、インターナショナル・オフィシャル・サイトを立ちあげていることを読者のみなさまにお知らせすることが、私の義務であると思っています。次のサイトです。

www.vmegre.com

これが世界中の読者のみなさまからの、さまざまな言語による通信の唯一の公式ソースです。

このウェブサイトに登録し、購読を申し込まれれば、読者向け会議の開催日時と場所に関するお知らせやその他の情報の提供を受けられます。

私たちの統一ウェブサイトは、親愛なる読者のみなさまに、世界に広がる「ロシアのリンギング・シダー」活動について、継続的にお伝えしていきます。

真心をこめて……

ウラジーミル・メグレ

監修からのことば

梅雨が明けた朝、久しぶりに見る青空から降り注ぐまぶしい陽射しを窓越しにあびながら、私はこの「監修からのことば」を書いています。空気中に残った水分がまだ瑞々しく、草木の柔らかな香りがなんとも心地よい朝です。

こうして静寂の内に意識をおくと、壮大で完璧なまでに美しい創造に、ただただ感嘆します。そして「感じる」ことが、いかに重要で大切かを、あらためて認識させられます。

『響きわたるシベリア杉』シリーズ第2巻では、アナスタシアと出会ったメグレ氏が住み慣れた街に戻るところから物語がはじまります。

はじめのうち、彼はタイガの森での体験と、それまでの生き方の狭間で戸惑いますが、その後、アナスタシアの祖父やフェオドリ神父と再会する中で、徐々にアナスタシアのエッセンスを日常生活に取り入れられるようになっていきます。

彼が、それまで馴染んでいた自分の生き方を止め、新しい変化を取り入れることができたのは、なぜでしょうか。

それは、彼が自分の内側で感じていることに正直になり、自分自身を信じはじめたからだと思います。

私たちもまた、今こそ自分の内側の奥深くで「感じている」ことに意識を向ける必要があるのではないでしょうか。

感じることこそ、目覚めへの第一歩だと思います。

心の奥深くには、内なる気持ちが言葉になる前の「感じ」として存在しており、そこには、プライドという自尊心――おごりに毒され、頭の中をグルグル駆け廻る言葉をもった感情――は存在しません。

その領域は、まさに「相反するものが融合しているところ」、プラスでもマイナスでもない、生でも死でもない、光でもなく闇でもない、そういうすべてが融合した、すべての可能性を秘めた完全な意識の領域なのではないでしょうか。

その領域に在る、ありのままの自分自身の実相に対面するときがきた、そんなふうに感じています。


そしてアナスタシアは「ただ信じるだけでは十分ではない」と言っています。これは、私たちは真実を意図し、真実に行動し、そして日々たんたんと、真実に生きることに努める必要があるというメッセージだと思います。

他者からの真理のことばより、自らの体験、気づきこそが自分のものであり、これこそが真の宝です。アナスタシアのメッセージを通して、日々の暮らしの中で、そのものとして表現していくことこそが、自分を、そして地上を光で満たす方法だと思いました。

またアナスタシアは、神は私たち人間のためにすべてを創造されたと語っています。私たちは遍満する創造主の愛に浴しているのです。

では、創造主の愛の中にいるにもかかわらず、私たちの地球環境や社会、暮らしのすべてが幸せだとは言いがたいのはなぜでしょうか。

すべての物質的環境が、私たち人間の精神と意識に依存しているのであれば、私たちの外側に現れている現状は、アナスタシアの言うように、私たち一人ひとりの責任です。つまり、一人ひとりが意識の向上を意図し、一貫した行動をとれば、現状を改善できることを意味します。

自分が感じていることに正直に向き合い、自分をもっと信頼し、真実に生きることで、真なる幸せを実現し、母なる地球を救う――そんな人たちが増えることを願っています。

アナスタシアは『響きわたるシベリア杉』のシリーズを通して、読者であるわれわれの意識を徐々に高めてくれています。

読者の方からよく、「アナスタシアのメッセージを集約すると何ですか?」と聞かれるのですが、私は未だにうまく説明できません。言葉にしてしまうと深みのない、なんと陳腐なものになってしまうことか。アナスタシアが9巻にもわたって伝えたメッセージを、私が一言でお伝えすることは不可能です。

このシリーズは、読者の各々の意識に合わせて問いかけてくれています。読者のお一人おひとりが今、受け取れる意識を、今、理解できるものを受け取っていただければと思います。

もうひとつ、読者のみなさまに再度お伝えしておきたいことがあります。ナチュラルスピリットから出版されている『響きわたるシベリア杉』シリーズは、既刊の英語版（Dilya Publishing 刊）とは異なる、新しく改訂された英訳原稿（Marian Schwartz 訳）を日本語に訳出したものです。そのため、日本語版は、既刊の英語版とは異なる箇所があります。英語版が改訂された理由は、既刊の英語版のいずれも、正しい認識と理解の下で翻訳されていない箇所がある、との著者メグレ氏の懸念があったためです。

改訂版の第1巻と第2巻を外国語に翻訳したのは、この日本語版が世界初となりました。なお、英語版の改訂版は、Kindle 版の電子書籍（Marian Schwartz 訳）で読むことができます。

ご縁があって『響きわたるシベリア杉』シリーズを日本にご紹介させていただき、こうして2巻目が発刊されることになりました。そして現在、私が活動しておりますアナスタシア・ジャパンでは、アナスタシアのアドバイスを日々の暮らしの中に取り入れるさまざまな活動を行なっています。

そのひとつとして、毎月一日と十五日の朝六時からの十五分間を、明るいビジョンを描き、愛する人々を想う時間にしていただくことを呼びかけています。

ぜひ一人でも多くの方に、アナスタシアの夢、そして私たちの夢にご参加いただき、この意識の次元でみなさまとお会いできることを願っています。

最後に、この本の出版にあたり、ご尽力いただきました水木綾子さんや当間里江子さんをはじめ、関わってくださった多くの方々、そして多忙の中、私を支え助けてくれた家族や親友に心からの感謝を伝えさせていただきます。ありがとうございました。

地上が、そして私たち一人ひとりの内なる光が、本来の輝きに戻りますように。

二〇一三年七月

岩砂晶子

響きわたるシベリア杉　シリーズ2
響きわたるシベリア杉

●

2013年7月23日　初版発行
2024年12月12日　第12刷発行

著者／ウラジーミル・メグレ
訳者／水木綾子
監修／岩砂晶子

装幀／丸尾靖子
編集／当間里江子
DTP／山中 央

発行者／今井博揮
発行所／株式会社 ナチュラルスピリット
〒101-0051 東京都千代田区神田神保町3-2 高橋ビル2階
TEL 03-6450-5938　FAX 03-6450-5978
info@naturalspirit.co.jp
https://www.naturalspirit.co.jp/

印刷所／シナノ印刷株式会社

ISBN978-4-86451-089-9　C0011

親愛なる読者の皆様、交流しましょう！

交流とは？

最新情報をいち早くゲットできます。

- 読者の集いのお知らせ
- よくある質問への回答
- 独占インタビュー
- 海外の読者からのニュース
- 読者の作品

お申し込み方法

以下の中から一つ選んでください。

1. ウェブサイト HELLO.VMEGRE.COMにアクセスし、画面の指示に従って登録を行ってください。
2. 件名に"Hello"と記入し、hello@megre.ruに空メールを送ってください。